JN048664

正解のない教室

自分で考える力を鍛える

矢萩邦彦

朝日新聞出版

「正解のない教室」へようこそ

introduction

毎日を自由に、楽しんで生きている人の共通点は？

あなたはいま、毎日を楽しんでいますか？

この本を書いているぼくは、楽しんでいます。もともと楽天的だったのではないかと言われればそうかもしれませんが、過去を振り返れば家族とうまくいかなかったり、不登校になったり、就活できなかったり、夢を叶えられなかったり、まあそれなりに色々ありました。

それなのに、いま、毎日ワクワクしながら好きなことをやって生活できているのはなぜかというと、心当たりがいくつかあります。

それをみなさんに伝えたいと思ってペンを執りました。

いま、予測不可能な社会が訪れたといわれています。

予測できないことは不安ですし、新しい環境・価値観や視点を受け入れることは時にストレスになります。

しかし、よくよく考えてみると、ぼくたちは昔から完全に未来を予測できたことなんてなかったはずです。いつ何が起こってもおかしくないと認識していながらも、油断しているなかで震災もコロナ禍も不景気も起こりました。

しかし、そんな状況でもやりたいことを貫いたり、笑顔で過ごしている人達もたくさんいました。

その一人であるぼくが、同じように楽しく幸せに過ごしている人たちと出会い、接するなかで気づいた共通点が、「**リベラルアーツ**」です。


リベラルアーツとは、「自由に生きるための技術」というような意味があります。「自由に生きる」とは、やることを「自分で自由に選択できる」ことです。そういうと、「学生だから、親や先生の言うことに従うしかない」「サラリーマンなので、自由に仕事を選択するなんて無理」と思う人もいるかもしれません。

「自由に生きる」といっても、別に「親や先生の言うことを聞くな」とか「フリーランスや経営者になれ」ということとは違います。

どんな立場に身を置いていても、〝**自己決定**〟することが大事なのです。

たとえば、いまはまだ経験が浅いので、親の言うことを聞いておこうという選択も〝自己決定〟ですし、サラリーマンで仕事に自由はないけれど、いまは安定を優先して子育てを頑張ろう、という選択も自己決定です。他に選択肢があるなかであえて選んでいるのであれば、そこには「自由」があります。

自己決定には二つの段階があります。「**選択肢を複数持つ**」ことと「**最適な選択をする**」ことです。それらを実行する能力を合わせて自己決定力と呼ぶことにします。

どちらの段階も大事ですが、前者の方はあまり耳にしません。目の前にある選択肢からいかに「正解」を選ぶのかという話が大半です。

しかしそれでは本当に「自由」とはいえません。誰かがシナリオを作り、プログラムされたゲームを進めていくのと同じです。

選択肢を複数持つためには、三つの視点が必要です。一つめは、**既知の選択肢を認識すること**。二つめは、**未知の選択肢を見つけること**。三つめは、**新たな選択肢をつくりだすこと**。そして選択肢が複数できたら、ようやくそのなかから自分や社会にとって最適なものを選ぶ判断力がものをいいます。

自己決定のプロセス

選択肢を複数持つ
・既知の選択肢を認識する
・未知の選択肢を見つける
・新たな選択肢をつくりだす
最適な選択をする

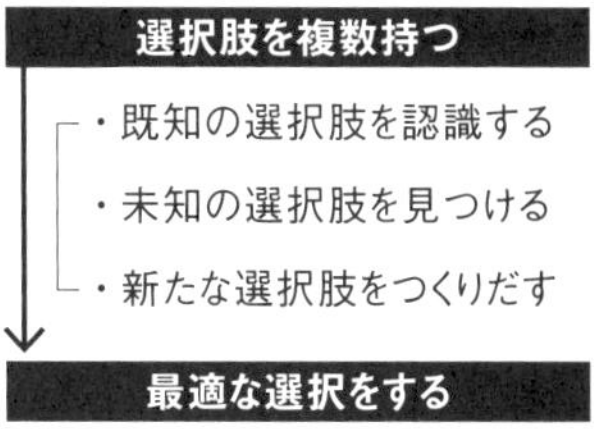

では、それらの自己決定力を身につけるためにはどうしたらいいでしょうか？　そのために、古典的なリベラルアーツでは〈**世界の基本構造**〉ともいえる論理的・数学的・客観的・科学的な視点、そしてすべての思考の基盤となる言語について体系的に学びました。

しかし、それだけでは実践的な自己決定力にはなりません。ぼくたちはひとりひとりが個性的な唯一無二の存在です。得意も不得意もあると思いますが、それぞれできることがあるし、やり方も色々です。

その個性をうまく活用して、うまくやっていくためには、自分自身の経験や価値観からなる〈**自分軸**〉を客観視（メタ認知）することが判断の起点になります。

そして、いまぼくたちが暮らしている世界、つまり一般化した科学技術や社会インフラ、そして流行を含めた〈**最新の世界観**〉を把握することが必要不可欠なのです。

世界の仕組みと自分自身を知り、現状に合わせることではじめてぼくたちの選択が織りなす物語は動きはじめ、人生を豊かにし、人々を巻き込み、壮大に展開していきます。

どうですか、楽しそうじゃありませんか？

ぼくはこれらの〈世界の基本構造〉〈自分軸〉〈最新の世界観〉の三つを合わせて「**実践リベラルアーツ**」と呼んでいます。この本は、ぼくが担当している中学高校や大学院での「リベラルアーツ」の授業をもとに、この三つを認知し、思考し、身につけるための基本となる視点と知識の体系化を目指しました。

ぼくたちが不安になるとき、ネガティブになるとき、必ずといっていいほど「何か」にとらわれています。それは〝普通〟や〝常識〟という基準なき呪縛かもしれないし、〝成績〟だったり〝立場〟だったりするかもしれません。だいたいは当たり前だと思って無

リベラルアーツを実践するために

古典的なリベラルアーツの知識と技術（世界の基本構造）に自分自身の経験と価値観（自分軸）、所属する社会の現状（最新の世界観）をプラスした3つの視点をメタ認知し、自己決定する力を身につけることを目指します。

あんまり自分については考えたことなかったな…

自分軸

・真（何を信じるか）
・善（何が良いことか）
・美（何を美しいと思うか）

最新の世界観

・最新のインフラ
（技術と施設）
・最新のリテラシー
（情報の扱い方）
・最新のセンス
（文化と感覚）

世界の基本構造

・自然＝社会・科学の世界
・社会＝法律・文化の世界
・組織＝規律・ルールの世界

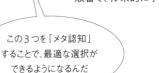

自己決定

この本では、上の3つをメタ認知するために、自分を知る（第一章）、論理的に考える（第二章）、世界を認知する（第三章）、言語を理解する（第四章）の順番で、体系的に学んでいきます。

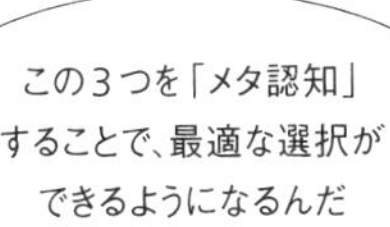

この3つを「メタ認知」することで、最適な選択ができるようになるんだ

最新のことも分からなければ判断できないよね！

自覚に思考の前提にしてしまっている「何か」です。でも、本当にそれは当たり前のことなのでしょうか？　変えられないことなのでしょうか？

本当の自分を押し殺して周囲に合わせることが正しい、あるいはそうやって生きていくしかないのだと思い込んでいる人があまりにも多いような気がします。その世界観から抜け出すために必要なのも「リベラルアーツ」です。

これからはじまる本編には、自分がとらわれていた「何か」にぼく自身が少しずつ気づいて、楽になったり、ワクワクしたり、行動を起こすきっかけになったりした視点や考え方を順序立てて紹介し、追体験しながら探究するためのキーワードをできる限りちりばめ、思考を広げるための〝地図〟や〝矢印〟も仕込みました。いったい「リベラルアーツ」とはなんなのか？　それを感じて、身につけ、自由に生きることを楽しむきっかけになることを願っています。

では、はじまりです！

自分で生きる力を鍛える

正解のない教室

＊目次

第一章

ぼくらを探しに　自分をめぐる冒険　39

第二章

ちゃんと考えるために　論理をめぐる冒険　91

第三章

世界を知るために

認知をめぐる冒険 141

第四章

ぼくらの世界と物語 言語をめぐる冒険 185

終章

ぼくたちの物語を描く　249

この本の5つの特徴

❶ 上段と下段を行ったり来たりして思考を深める

この本は〈上段〉の本文と〈下段〉のキーワード解説、ふきだしで構成しています。本文を読んでから下段を読むのもよし、パラレルに読み進めるのもよし。下段だけ先に読んで、気になるキーワードやふきだしから本文へ、という読み方でも構いません。何度も行ったり来たりしてるうちに思考が深まる仕掛けになっています。

---

❷ 101のキーワードに繰り返し触れて概念をつかむ

リベラルアーツを学ぶ上で大切なキーワードには0から100の数字が振ってあり、下段で解説をしています。本文中にキーワードが登場するたびに数字を振り、下段の解説中に出てきたときも、傍線が引いてあります(項目内で複数回出てきたときは最初のみ)。巻末にはキーワード一覧を掲載。様々な文脈のなかで何度も触れることで概念をつかみ、その言葉が自然と自分のものになっていきます。

---

❸ 古今東西34人の偉人たちの思想を学ぶ

101のキーワードの中には、34人の偉人たちが登場します。年代、国、職業はバラバラですが、リベラルアーツを理解し、実践する上でぜひ知っておいてほしい人物を厳選して紹介しています。キーワード以外にも、たくさんの人物が登場しています。ぜひ、各人の見えないつながりを感じ、探究のきっかけにしてください。

---

❹ 教室での対話を一緒に体験する

下段のふきだしコメントは、実際に授業で話されたものや、生徒たちとの対話をベースにしています。上段の本文の理解を助けるものもあれば、雑談的に本文から外へ開いていくようなコメントや会話もあります。あなたの興味や思考を広げるための参考にしてみてください。

---

❺ 正解のない問いを考えて、あなた自身を見つける

上段の本文にはあなたに向けた、たくさんの問いがあります。ほとんどの問いに正解はありません。だから分からなくても心配せずに読み進めてください。もし頭をよぎった言葉やイメージ、アイデアがあったら、文章にならなくてもメモしてみましょう。そういう思いつきのなかに自覚していない「自分軸」があらわれたりするものです。

序章

ぼくたちは
何を学べばよいのか?

刻々と変化する世界のなかで、昔から変わらないものがあります。
変化と不変の両方を認識することが、
自由に生きるための教養「リベラルアーツ」です。
何を目的に、何を知り、どうやって考えればいいのか。
その前提を確認していきます。

巨人の肩に立つ想像力

どうやって成長すればいいのか？

さっそくですが、この本ではちょっと変わった「リベラルアーツ」の体験をしてもらいます。いわば、あなたとぼくの対話編です。リベラルアーツというのは、ぼくたちが「自由[0]に生きていくための方法」を学ぶことだと思っておいてください。最後まで読むと、あなたの脳、想像力や思考力がアップデートし、成長[1]するように様々な仕掛けをほどこしてあります。

まず、どうしたら、ぼくたちは成長できるでしょうか？余白を多めにとっているので、このように問いがあったら（なくても）、思いついたことを書き込みながら読み進めてください。きっとその書き込みが思考の道しるべになるはずです。一つ一つの問いに模範解答はありませ

0 自由　自ら（みずか）に由（よ）るという意味。強制や束縛を受けずに気ままにふるまえる状態。また、自らの意志による決定のこと。とすると、本当に自由な状態とは、誰もが何をしても良い状態を指すが、逆に言えば誰に何をされるか分からない状態ともいえる。そんな状態で外に出て自由にふるまうことなどできるだろうか？　そう考えると、安心安全に好きなように生きるためには、他者との共存が前提であり、ある程度のルールや協力関係が必要になりそうだ。

ん。いつどこで誰が考えるのかによって、その答えは千差万別のはずですが、参考になる考え方や、あなたなりの答えを見つけるためのヒントをどこかに散りばめてあります。それらのカケラとあなたのアイデアを組み合わせながら、謎解きの旅を楽しんでください。

最初に一つ、大事なことを伝えておきます。ぼくたちは簡単すぎても、難しすぎても成長しにくいんです。だいたい半分くらい分かって、半分くらい分からない、という状態が一番ワクワクするし、成長します。

だから、この本も分からないことがあっても、分かるところがあるのなら大丈夫。安心して読み進めてください。その経験が、必ずみなさんの成長につながります。ゲームだって簡単すぎても難しすぎても面白くないですよね。読書も勉強も全部分かっちゃったら、やる意味[21]がありません。

1 成長　育つこと、大人になること、規模が大きくなること。ある経験をする前後の違い。何かを経験すれば、たとえ小さくても必ず変化がある。それを感じることができるとムダなことは何もなくなる。成長期には放っておいても成長するが、誰とどのように何をするかで成長の度合いに影響がある。教育学者デューイは、やったことを振り返って、気づいたことや考えたことをまとめることで効果的に成長することができるとした。おすすめの振り返り法は一行日記。今日やったことと、気づいたことや反省点、改善点、連想したことなどを箇条書きにしておいて、それをたまに眺めるだけでも効果がある。

だいたい書いているぼくだって、ハッキリと分かっていないことがたくさんあります。理解というのはいきなりできるものではありません。なんとなく分かってから、しばらくしてだんだん明確になっていくものです。学校では多くの場合「なんとなく」では評価してもらえませんし、テストでも点数になりません。でも、「なんとなく」は本当は理解への大きな第一歩なんです。

だからこそこの本は、すぐ使えるハウツーやテクニック、簡単に分かる一問一答的な教養知識[5]みたいなものは目指していません。あえて解説をしていないものもありますし、答えがあるかどうか分からない問いもあります。

しかし、それこそがぼくたちが生きるこの世界のリアル[31]な構造です。簡単に手に入ることは、簡単に失われてしまう可能性があります。リベラルアーツは自分軸の成長とともに、すこしずつ身についていくものです。気になったことは、あなた自身が探究してみてください。

ジグソーパズルは、一つ一つのパーツは
何が描いてあるのかよく分からないけれど、
ある程度数が集まると全体が分かって、
一気に部分も分かるようになるよね。
音楽も音符一つじゃ分からないけれど集まると
メロディーになって、調やリズムが分かる。
こんなふうにいきなり全体はとらえられないから、
最初はなんとなくでいいんだ。

「教育とは、学校で学んだことを一切忘れてしまったあとに、なお残っているものだ」

アインシュタイン[2]の言葉です。これは、何を考えたか（知識・テーマ）ではなく、どのように考えたか（方法・体験）が、最も記憶として残り、人生と社会をより豊かにするために活用できるということだと思います。

ものづくりと同じで、ものごとを考えたり、想像するためには必ず「素材」が必要です。ぼくたちは、ゼロから考えたりつくったりしているわけではないんです。生まれてからいままでに知ったことや経験したことが想像や思考の素材になっています。それを増やしていくのもこの本の目論（もくろ）みの一つです。（下段に、ぼくの思考の素材になっているキーワードを解説してありますので探究

2 アルベルト・アインシュタイン［1879〜1955］光の速さは一定で、観測者の立場によって時空間は変わるという「相対性理論」で有名なドイツ生まれのユダヤ系理論物理学者。電気会社を経営していた父の影響で自然科学や数学に関心を持っていたが、権威主義や型にはまった教育をきらって中等学校を中退。その後スイスへ渡りノーベル物理学賞を受賞、アメリカへ渡って原子爆弾の危険性を提言し平和運動を行った。主要な論文や講演はドイツ語を使っていることから、母語で考え表現することの重要さ

のアイテムとして活用しながら読み進めてください。

　そもそも、この本でみなさんに紹介することは、ぼくが本で読んだり、誰かに聞いたりして知ったことをもとに、考えたり想像したり体験したりしたことを編集[86]してまとめたものです。だから、ぼくの完全に**オリジナル**[3]なアイデアはたぶん一つもありません。

　もしオリジナルっぽいものがあったとしても、それはきっかけをくれた人やぼくに教えてくれた人のおかげですから、やっぱりぼくの完全なオリジナルとはいえません。そう考えると、ぼくらは知識や経験や思考をシェアしながら、時代や国・地域を超えてみんなで成長しているんだな、ということが感じられると思います。

「私がかなたを見渡せたのだとしたら、それは巨人の肩の上に乗っていたからです」

がうかがえる。最期の言葉もドイツ語だったと言われるが、看取った看護師がドイツ語が分からなかったため今も謎のままである。

3 オリジナル　原作や原物のこと。複製品や模造品ではないこと。たとえ自分で考えたことであっても、そのきっかけは自分以外の何かであり、必ず誰かや何かの影響を受けているし、すでに世界にあった情報や物質を組み合わせて編集的につくっているはずである。そう考えると、オリジナルというのは「自ら着想し、はじめて登場した組み合わせ」といえるかも知れない。

これは、ニュートン[4]が手紙に引用したことで有名になったたとえです。ぼくたちがひとりでできることはたかが知れています。歴史に名を残す先人たちは、人生を賭けた探究のなかで様々な発見をしてきました。それを知らずにゼロから考えても彼らより先へ行くことは難しいでしょう。だから、バトンを受け取って未来[34]へ進めるんです。それは、なにも学者や専門家でなくてもできます。

ぼくがこの本を書こうと思ったのは、それをみなさんに伝えるためです。同じ時代に生きる、みなさんと同じごく普通の人間が、自分が知って心が動いたことを手紙にして、「小瓶（こびん）」に入れて「海」へ流したいと思ったのです。ぼくが受け取ったたくさんの過去からの小瓶を、今度はぼくが未来に向けて、あなたに向けて。たまたま（あるいは必然的に）この手紙を受け取ってくれたあなたの自由で豊かな人生に役立てることを願っています。

4 アイザック・ニュートン［1642〜1727］落ちるリンゴを見て気づいたという「万有引力の法則」で有名なイギリスの科学者。主著『プリンキピア』によって、それまで別の世界と考えられていた天上と地上の世界が同一の物理法則によって支配されて構成される単一世界だということを明らかにした。神学や錬金術の研究にも熱心で、晩年にはロウソクに火を灯し、ここが宇宙の中心であると言って物議をかもしたという。経済学者ケインズはニュートンを「最後の魔術師」と称している。

何のために学ぶのか？

勉強をしていて、「なんでこんなことをしなければいけないんだろう？」って思ったことはありませんか？　ぼくは中学生のころ、特に興味がない教科や、先生と相性が合わないときに、よくそんなことを考えていました。いったいぼくたちは何のために学ぶのでしょうか？

あなたにやりたいことや夢[30]があるなら、学ぶ理由は簡単です。よりよい人生を歩むためです。興味があることなら学ぶこと自体が楽しいですし、夢のためなら少々大変でも意味[21]があります。自分のためではなく、世のため人のために実現したいことがある、と考えた人もいるかもしれませんが、心からそうしたいと思ったのなら、そ

最初は興味がなくても、できるようになると
面白くなってくることもある。やる気を出すためには
とりあえずやりはじめるのが一番効果的だという研究もあるよ。
やりはじめて、すこしできるように
なったときに判断してもいいかもね。

れはあなたのためでもあります。

自らよりよい人生を切り開いていくためには、自分で選択する必要があります。どこの学校に通うのか、何を学ぶのか、どんな友達とつき合うのか、どんな先生に師事するのか、どんな人に恋をするのか、という人生を大きく左右する選択から、今日何を食べるのか、どんな文房具を使うか、どんな本を読むか、どんな映画を見るかなど小さな（けれど積み重なっていけば確実に人生に影響がある）選択まで、ぼくたちは日々様々な選択をしながら人生をつくっています。そのときに、よりよい選択ができるようにするために学ぶんです。

では、やりたいこと[25]や夢がない場合や、やりたいことや夢とは直接関係がないように見える学校の勉強はどうでしょうか？

ケンブリッジ大学の研究によると、人は1日に
最大3万5000回の決断をしているんだって。
ちなみに芸術家の岡本太郎は、選択に迷ったら
「失敗する可能性が高い方を選べ」と言っているよ。

多くの大人や学生は口をそろえて「将来のため」と言います。[82]具体的には「お金に困らないために、それなりの地位につく」という目標です。そのためには、「よい学校に入って、よい会社に就職をする」必要があると言うんですね。ぼくはたくさんの学生や保護者、先生たちに同じ質問をしてきましたが、ほとんどがこの答えです。

しかし、たまに「お金もいらないし、偉くもなりたくないから、勉強しなくていいですか?」というような子どもが現れると、みんな困ってしまいます。あなたならどう応えますか?

江戸時代、**教養**[5]があるというのは、人の気持ちを分かることだという考え方がありました。つまり、学ぶ理由は「人の気持ちを分かるため」だというわけです。たくさんのことを学べば、より多くの人の気持ちが分かり、共感できる可能性が高まります。その結果、人々から信頼されるので、仕事を任され、リーダーシップを発揮す

5 教養 中国の歴史書『後漢書』由来の漢語。努力して人格を向上させる「修養」という言葉と共にcultureやbuildingの翻訳語になったことから、文化を享受して精神を豊かにすることで、世界と調和してバランスを取り、自由を獲得するための素養というような意味になっていった。専門性にとらわれると不自由になることから、「一般教養」とも言われる。西洋においては教養も文化も語源は「耕作」。心を耕し何かをつくること。教養について語ると、まるで自分は教養があると言っているように見えて逆に教養がないように見えてしまうというジレンマと隣り合わせのテーマ。余計なことを意識せず、淡々と学び語ることが大事。

ることになる。そうすれば、結果として地位やお金はついてくるものだというんですね。

ぼくはこの考え方がとても好きです。お金や地位が目標の人が（本当の意味で）信頼されるとは思いませんし、お金や地位がいらない人はいても、人の気持ちを分かりたくない人は（本当は）いないと思うのです。それに、たくさんのことを学べば、やりたいことや夢が見つかる可能性だって高まります。

ちなみに、同じ江戸時代には遊び尽くしたお金持ちの商人も私塾にやってきました。同じことをしても、知識や教養があったほうが、より楽しめるからです。つまり楽しく生きるため、というのも学ぶ理由になるんですね。たとえいまが楽しくなくても、学んだらどんどん楽しくなってくるかもしれない。

「学は人たる所以（ゆえん）を学ぶなり」

明治維新の立役者だった西郷隆盛は、
金も名誉もいらない人はあつかいにくいけれど、
そういう人でないと大きなことは
成し遂げられないと考えたんだ。

これは、江戸時代の教育者、**吉田松陰**[6]が教えた松下村塾のコンセプトで、「学びとは人であるからにはどうあるべきかを探究することだ」ということです。つまり、人の気持ちが分かり、よりよい選択をして、よりよく生きるためには、人について理解する必要があるというわけです。

では、人であるとはどういうことでしょうか？　そして、自分はどういう人間なのでしょうか？　第一章ではそれを一緒に考えて、発見していきたいと思います。

「いかに生きるかを自分で選択できること」、そのために「正しく考えられること」「人の気持ちが分かること」。

この本を読み進めるうちに、すこしずつそのための視点や方法を手渡していきたいと思います。その一番の基礎になるのが、リベラルアーツと呼ばれる学びなのです。

6 吉田松陰［1830～1859］幕末の思想家。少年期から兵学の教育を受け、9歳で藩校講義を担当した。真心を持って取り組めば、

自然に志を継ぐ者が現れて道は開けるとし、実際にたった2年ばかり開いた松下村塾には、幕末維新に活躍する志士が集まった。ペリーが来航した際、密航目的で黒船に乗り込んだが、その探究心と行動力は賞賛されたものの断られて投獄され、こんな句を詠んでいる。「かくすればかくなるものと知りながらやむにやまれぬ大和魂」。ちなみに哲学者の九鬼周造は、ダメだと分かっていても挑戦する心意気を「いき（粋）」というと分析している。

リベラルアーツとは何か？

リベラルアーツは中世ヨーロッパにおいて肉体労働から解放された自由人のための特に重要な教養だと考えられていました。この場合の「肉体労働」とは、やることを他者に決められていることを指します。つまり自由人というのは、ある程度自分のやることを選択する自由がある人のことです。

もしかしたら、「自由なんて面倒くさいからやることを決めて欲しい！」と思った人もいるかもしれませんが、それでもいいんです。自由に決めるかどうかを選ぶことができることこそ、リベラルアーツ的な自由なんです。信頼できる誰かの意見に合わせたり、仕組みに乗っかることも自由。降りて自分で考えることも自由。それが真

ぼくたちに「選択肢」があるのは、
生きることを意識しなくてすむ
社会環境があるからなんだ。

の自由です。

では、そんなふうに人生を自由に選択するために役に立つことは何でしょうか？　その答えは大きく二つあります。一つめは、言語能力・コミュニケーション能力です。ぼくたちはひとりで生きていくわけではありません。たくさんの人たちと協力し合って生活したり、影響を受けたりしながら自分の好きなことを探究していくわけです。だから、リベラルアーツのなかで最も重要なのは言語に関するものになります。

人間の特徴は何だと思いますか？　まっさきに挙げられるのは言語です。では、言語によってはじめて可能になったことは何でしょう？

それはいまここにいない人、ここではない場所のことを伝えられるということです。時間を超えて過去や未来

34

『不思議の国のアリス』で
「どこに行きたいか分からない」と
道をたずねるアリスにチェシャ猫が
「それなら、どっちの道へ行こうが問題ないよ」と
言うんだけれど、どういう意味だろう？
そうか！
目的があるなら
どっちへ行っても
成長するって
ことか。
目的がないなら
どっちへ行っても
あんまり変わらない
気がするな。

の話ができること、文字が発明されてからは、離れた場所や別の時間にいる人にメッセージを送ることができるようになりました。だからぼくたちは世界中に散らばる「小瓶」の手紙を受け取ったり、長い歴史のなかで活躍したたくさんの「巨人の肩」に立つことができるのです。

人生を自由に選択していくために役に立つことの二つめは、この世界がどうなっているのかを知ることです。たとえば、法則と法律の違いは何でしょうか？

英語では法則も法律もlaw（神によって決められた秩序）なので違いを考えにくいのですが、日本語では明確に区別されているので、考えやすくなっています。法則というのは、ものを投げれば落ちるとか、お腹がすくと力が出なくなるとか、そういう、いつでもどこでも誰に対してでも共通してあてはまることです。法律というのは、それぞれの場所で人間が決めたルール[97]です。

7 文法　規範とされる言葉や文章に関する法則性のこと。その言語のコード。外国語を習うときはなぜか文法から学ぶことが多いが、子どもが母語を覚えるときには文法など知らなくても言葉を話せるようになる。そもそも文法とはあとから見つけた言葉のルールの共通点であって、地域や社会によっても違うし、時代によっても変わっていく。

ぼくたちは法則を変えることはできませんが、法律は変えられるかもしれません。これも世界の構造の一つです。ぼくたちは行動を選択するときに「やりたいかどうか」だけでなく「可能性」について考えます。

だから、そういうふうに世界がどうなっているのかを知っていると、可能性を推測しやすくなるので選択する際の基準になります（法律も法則も同じlawという単語で一緒にされているというのも、その世界の構造です！）。

中世ヨーロッパでは、リベラルアーツは七つの教科に分けられていました。**文法**[7]・**修辞学**[8]・**論理学**[9]という言語に関する三科目と、算学・幾何学・音楽・天文学という世界の構造に関する四科目です。

簡単に説明すると、文法は言葉のルール、修辞学は伝わりやすくする技術、論理学は正しく考える方法です。

算学は数を使って一**次元**[10]の世界を考える方法、幾何学

8 修辞（しゅうじ）　効果的な言葉づかいや表現技法のことで「レトリック」ともいう。思想や内容など本質を伴わないうわべだけの言葉に使われることが多いが、実際は伝えたいことをしっかり伝えるための技術のこと。体系化された学問は「修辞学」と呼ばれ、説得や弁論のために学ばれることが多かったが、本質と表現は両方そろってはじめて力になる。古代ギリシアの哲学者ソクラテスは、修辞学を意識していない日常会話にこそその人の本質が出るとした。

9 論理　考えや議論の筋道のこと。前提（立場や前置きとなる条件）と概念（意味や内容、ものを考えるときに心のなかに生じるもの）を組み合わせて推論したり判断したりする方法のこと。概念の意味を明確にすることは「定義」という。一般に「論理学」は古代ギリシアの哲学者アリストテレスが体系化した理論の構造に関する

は図形を使って二次元（平面）・三次元（立体）の世界を考える方法。

音楽は時間の流れを意識して考える方法。

天文学はそれらすべてが合わさった四次元世界（時空間）、この世界そのものについて考えることです。

これらの学問は日本では長いこと「職業に直接関係[25]がない実用的ではない純粋な教養」と言われてきましたが、ヨーロッパでは「専門家である前にすぐれた人間でなければならない」という考えを育んできました。

教養というのは、すぐに役に立つことではないかもしれませんが、人生においてずっと影響を与え続ける学びのことなんですね。

学問を源流とするが、東洋でも仏教の起こりとともに研究が始まっている。

10 次元 〇次元は「点」、一次元は「線」、二次元は「面（縦・横）」、三次元は「空間（縦・横・高さ）」、四次元は「時空間（縦・横・高さ・時間）」を現す。古代ギリシアの数学者ユークリッドは、「点とは部分をもたないものである。線とは幅のない長さである。面とは長さと幅のみをもつものである。立体とは長さと幅と高さをもつものである」と定義している。三次元までの空間は「座標軸」として数字で表され、それに「時間軸」を加えて移動や変化を表したものを四次元の時空間と呼ぶ。ちなみに「世界」の「世」は過去・現在・未来のことで、「界」は前後・左右・上下を意味する仏教用語。

世界のスピード感と不易流行

変わりゆく世界で変わらないものとは？

一八七六年に**グラハム・ベル**[11]が電話の特許を取得してから五〇〇〇万人が電話を使うようになるまで、どれくらい時間がかかったと思いますか？

なんと、五〇年以上かかったといいます。では、テレビ・パソコン・携帯電話・インターネット・YouTube・Twitter・LINE・**ポケモンGO**[12]のユーザーが五〇〇〇万人を超えるまでそれぞれどれくらいかかったでしょうか？

正解は、テレビが約二二年、パソコンが約一四年、携帯電話が約一二年、インターネットは約七年、YouTubeは約四年、Twitterは約二年、LINEが約一年、ポケモンGOに至ってはなんと約二週間です。

---

11 グラハム・ベル［1847〜1922］イギリス出身の物理学者で発明家。母に聴覚障害があり、父とともに耳や口の不自由な人のための研究や訓練学校を開くなどの活動を生涯続けた。音声に関する論文を読んで、音声を電気で伝えることができるのではないかと考え、1本の導線で複数の高さの音を送信する磁石式電話を発明した。音の強さを表す単位dB（デシベル）は彼の名前が由来。ちなみに、ベルは仕事や思考の邪魔になるからと言って自分の書斎には電話を置かせなかった。スマホ時代の問題に、電話の発明者が最初から気づいていたというのは皮肉である。

12 ポケモンGO 現実世界の空間を移動しながら仮想のキャラクター「ポケモン（ポケットモンスター）」を探すスマー

ぼくたちは、いままさにこのスピード感の世界で生きています。それを知るだけでももちろん意味[21]があると思いますが、それだけではたりません。ではこれらのデータをどのように解釈したらよいでしょうか？

江戸時代に活躍した俳諧師（はいかいし）、**松尾芭蕉**[13]は「不易流行（ふえきりゅうこう）」という言葉を残しました。「不易」とは「変わらないこと」という意味です。いつの時代でも変わらない本質を知っていることがあらゆることの基礎だというんです。

これはリベラルアーツの考え方と同じです。さらに芭蕉は「流行」も同じくらい大事で、本当に大切なことは時代に合わせて変化しながら残っていくというんですね。ここに、ぼくが伝えたいことが凝縮されています。

まず、電話の発明から現在までの間に世界の人口は爆発的に増えています。一八七六年の世界人口は一三億人

トフォン用ゲーム。ゲーム史上最速の1ヶ月で1億ダウンロードを達成し社会現象を巻き起こしたが、歩きスマホの増加や交通事故、若者の深夜徘徊、原子力発電所などの立入禁止区域への侵入をはじめさまざまな問題が浮上した。遊びの種類としては昆虫採集のメタファーと考えられるのだが、想定外に中高年に人気を博した。

13 松尾芭蕉（ばしょう）［1644～1694］
江戸時代前期の俳諧師。日本各地を旅しながら訪れた土地の人々と順番に句を連ねていく「連句」を主導した。芭蕉が大事にした「わび」は、もともと恋が実らず苦しむ状態を指すが、そのような不足を抱える生活に美しさや意味を感じ、また一切を捨て去ったなかに人間の本質を見いだそ

程度ですが、二〇二二年では八〇億人を超えています。つまり全体を比べなければ、変化の本質を見誤まる恐れがあります。さらに、インターネットやスマートフォンの普及がそのあとではじまったサービスの基盤、**インフラ**[14]になっています。インフラになるような技術は「本質」として改良されながら残っていきますが、ポケモンGOはどうでしょうか？

五〇〇〇万人のユーザーを獲得するのも一瞬でしたが、失ってしまうのも一瞬かもしれません。この本を読んでいるあなたは、プレイ画面を見たことすらないかもしれない。よく**古典**[15]や古い本を読む意味はあるのでしょうか？　という質問をされるのですが、時間をかけて人々が残してきたものは時を超える理由を宿しています。何年前の本であっても、いま書店で買うことができる本は、ただ古いのではなくて、古いのにいまだに使える価値がある情報だと多くの人が判断しているということです。

うとした。「さび」はさびしさや、そう感じる心のなかに、逆に奥深く豊かな広がりがあり、それが言葉や行動、物質にも顕れてくるということ。ちなみに芭蕉は英語で「ジャパニーズ・バナナ」と呼ばれ葉も実もバナナに似ているが、食べられない。

14 インフラ　インフラストラクチャーの略。生活や経済活動をするうえで、あるのがあたりまえで、ないと困るものや技術のこと。たとえば現代では電気がなければ生活も経済も成り立たない。電話やICT（情報通信技術）などのネットワークもインフラになっている。しかし、これらがなかった時代の人々は、ないのが普通であり別に困っていなかったということは想像しておきたい。

15 古典　多くの人の心に刺さったり、また活用できると思われた言葉は「引用」

一方で、新刊書や新しいサービスは、時代や環境、流行が変わればすぐに役に立たなくなる可能性があります。
もちろん、流行したもののなかには、きっとぼくたちが求めている「本質」的な要素がありますから、それは別の形となって残っていくでしょう。それらをきちんととらえること、つまり情報をきちんと分類[43]して活用することが、リベラルアーツの目的[55]の一つといえます。

なにを学べばよいのか方向性が見えたところで、さっそく思考の冒険に出発しましょう。大丈夫です、心配いりません。ぼくだって分からないことがあるまま書いているんです。あなたの知恵と力を貸してください。一緒に考えながら、唯一無二のそれぞれの旅をつくっていきましょう！　いつか機会があれば、その旅の話を聞かせてください！

される。その結果、時代が移り変わっても引用され続ける言葉は、いまだに意味があり、影響力があることの証明だといえる。多くの人が関わるほど、本質が抽出され抽象化されていくが、アインシュタインは「何ごともできる限りシンプルにすべきだが、必要以上に単純化してはならない」と警鐘を鳴らしている。そういう意味では、古典は「編」や「章」の単位で参照することが望ましい。

第一章

ぼくらを探しに

自分をめぐる冒険

世界を知るためには、まず一番身近な世界の一部である
「自分」について考える。
自分自身の価値観。自分と社会との関係。
そして、自分を取り巻く社会の情勢。
自分が分かってくると、これから進むべき道が見えてきます。

〈ある〉ことと〈ない〉こと

存在しないものを想像できるか？

いきなりあたりまえのことを言いますが、この本はいまここに**存在**[16]しています。そして、この本を読んでいるあなたも、そこに存在しています。でも、この本を書いているぼくは、存在しているのかどうか分かりません。なんだか不思議な気がしますね。ものごとを正しく考えるための第一歩として、この「存在」について考えてみたいと思います。

「存在」というのは現実[31]にそこに〈ある〉ことを指す言葉ですが、〈ある〉ということは、何らかの性質・機能・価値を持っています。それらがなければ〈ある〉とはいえないんですね。というか、〈ある〉ことに気づけないし、

16 存在　「あるとはどういうことか」というのは哲学の主要なテーマの一つ。人間にとって現実的でリアリティのあることを実存というが、コンピューターの発達で、特に視覚と聴覚についての仮想現実の進歩は目覚ましく、何が実体なのかの境界線は曖昧になりつつある。古代ギリシアの哲学者プラトンは、私たちが見ているものは真実の影でしかなく、それを実体だと思いこんでいると言い、聖徳太子は「世間虚仮（せけんこけ）（この世のすべては仮のもの）」だと言った。

証明できない。哲学者たちは、古くは「不変の実在」や「本質」、あるいは「客観的実在」[38]なんて言葉で表しました。〈ある〉の対義語は〈ない〉ですね。〈ない〉ものを感じることができるのは、想像力のおかげです。

「見渡せば花も紅葉（もみじ）もなかりけり　浦の苫屋（とまや）の秋の夕暮」

この短歌は中世の貴族、**藤原定家**[17]の作とされていますが、どんな意味[21]だと思いますか？　海辺の粗末な小屋を見て、ここには花も紅葉もないと言っているんです。どうしてないものを歌っているのでしょうか？

この句のすごいところは、ないものを先に提示することで読者に想像させているところなんです。桜や紅葉のはなやかな様子を想像させたあとで、それらはまったくなくて、現実に存在しているのは海辺の粗末な小屋だというんですね。

17 藤原定家（さだいえ）［1162〜1241］

鎌倉時代初期の歌人で古典学者。『新古今和歌集』や『小倉百人一首』の撰者（せんじゃ）として知られる。源氏物語や土佐日記などの多くの古典を書写して註釈（ちゅうしゃく）を加えて校訂するなどの方法が、のちの古典研究者の規範となった。18歳から56年間書き続けた日記『明月記』が残っており、一部の原本は

この落差やギャップを感じさせるところに編集[86]の技があります。順番を変えるだけでまったく違う印象になるんです。そして、その海辺の粗末な小屋に夕日があたっている様子を想像させることで、それはそれで美しいと思わせてくれる、まさに芸術です。

ないのに美しいから、ないから美しいへ。ロマン[18]ティックですね。ロマンというのは客観的[38]に存在する現実ではなくて、主観的[38]な感情でものごとをとらえることです。いまここにないからこそ、強く憧れるわけです。

「舟底を無月の波のたたく音」

こちらは昭和に活動していた俳人、木村蕪城（ぶじょう）の作品です。舟に乗っている作者は波が舟底をたたく音を聞きながら「月が出ていないなあ」と言っているのですが、これもまた月を意識しているからこそ、「月がない」と感

国宝に指定されている。二行連続で同じ文字からはじまらないように配慮したり、「よる」は仮名で「夜（よ）」は漢字にするなど、ふりがながなくても読み方を迷わないような編集には現代にも通用する学びがある。

18 ロマン　夢や冒険へのあこがれのこと。12世紀に南フランスの「吟遊詩人」たちによって広まった叙情的で長編の伝記文学や騎士の物語が、古代ローマ帝国の共通語に起源を持つ「ロマン語」で語られたため、そう呼ばれる。17世紀頃から未知なるものや幻想的なものなど、ロマンをかきたてるようなものごとを「ロマンティック」と呼ぶようになり、古典的な伝統文化を指す「クラシック」の対義語として定着した。もともとは「ロマンス」も同じ意味だったが、現代では恋愛などの題材について使われることが多い。ロマンを持つ人を「ロマンチスト」といい、現実離れした夢想家や

じるわけです。つまり、月が見たいと思っているのに、実際にはない。心のなかには月がある。ないのにある。あるのにない。こういった感覚のうつろいのなかでぼくたちは存在しているんです。

どうですか、モヤモヤしてきましたか？

ためしに想像してみてください。あなたが学校や会社など、よく行く場所にあるものはなんでしょうか？　一分間でどれくらい思いつくか書きだしてみてください。では次に、いま想像したのと同じ場所にないものは何でしょうか？　同じように書きだしてみてください。どうですか？　あるものは有限ですが、ないものは無限にあるはずです。でも、なかなか思い浮かばなかったのではないでしょうか。

空想家という意味もある。

気持ちや雰囲気みたいに
感情的なものは人それぞれだし、
たとえ物質的に存在しても、
小さすぎたり、大きすぎたりして
見えないものもあるから、
人によって違いそうだね。

無音と空耳

存在しない音を聴くことはできるか？

耳を澄まして、できるだけ遠くの音を聴こうとしてみてください。どうですか、何が聞こえましたか？

アメリカの作曲家**ジョン・ケージ**[19]に『4分33秒』という作品があります。この曲の楽譜にはなんと休止の指示のみが記されています。つまり、楽器を持った演奏者はまったく音を出さずに「演奏」を終えます。聴衆はいったい何を聴いているのでしょうか？

さきほど耳を澄ましてもらったときと同じように、車や空調など演奏場所の内外で鳴っている音や、聴衆の呼吸や小さな動きが立てる音、自分自身の鼓動などが考えられます。では、逆に完全な無音を聴くことはできるのでしょうか？

19 ジョン・ケージ［1912〜1992］アメリカの作曲家でキノコ研究家。実験的な作品を数多く残し、音楽界だけでなくアートにも影響を与えた。『4分33秒』と同じ頃にサイコロを振って、その目が気に入ったら楽譜につらね、気に入らなかったら振り直すことを繰り返すなどのルールで音楽をつくるという、偶然とチャンスを自由に編集する作曲法『チャンス・オペレーション』を編み出した。ちなみにミュージック（music）を辞書で引いたら一つ前の項目がマッシュルーム（mushroom）だったことがきっかけで運命を感じ、キノコを研究して自分の音楽論をキノコで説明するようになったという。

ケージは「無音」を聴くために無響室に入った際に神経系がはたらいている高い音と血液が流れている低い音を聴き、完全な無音は無理だと実感したうえでこの曲をつくったといいます。これらは大小に関わらず、実際に鳴っている音です。しかし、ぼくたちが無音のなかに聴く「音」は実際に鳴っている音だけでしょうか？「いまここ」ではない別の場所にないものを想像するのは難しいですが、実際に何もない場所に身を置くと、そこには存在[16]しないものが次々と頭に浮かびます。いったいなぜなのでしょうか？

自然のなかにいるときメロディーやハーモニーが聞こえたり、雑踏のなかで誰かに呼ばれた気がしたりすることがあると思います。これらの現象は、覚醒しているためには刺激が必要だという脳の性質と関係[25]がありそうです。現代に生きるぼくたちは日常的に不自然な刺激にさ

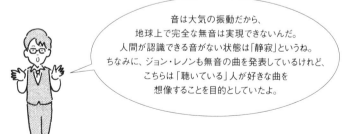

音は大気の振動だから、
地球上で完全な無音は実現できないんだ。
人間が認識できる音がない状態は「静寂」というね。
ちなみに、ジョン・レノンも無音の曲を発表しているけれど、
こちらは「聴いている」人が好きな曲を
想像することを目的としていたよ。

らされていますから、自然のなかでは刺激を補完しようとして脳がはたらいてしまうのかもしれません。

それを利用した「アイソレーションタンク」という感覚遮断装置があります。光や音を完全に遮って、皮膚の温度と同じ塩水に浮かぶことでリラックスする効果があるのですが、外部から刺激がないため脳が[62]イメージをつくりだして補完しようとするので、瞑想(めいそう)状態に入りやすく、起きたまま[30]夢を見るという人もいます。

人間の脳には、抜けている情報を周辺情報や前後の文脈から補う性質があることが分かっています。次の図を見てください。

《カニッツァの三角形》

脳が自動的に欠けている部分を補完して、ないはずの三角形が見えると思います。同じように「空耳」も経験に基づいて脳が状況を分析してもっともらしい解釈として「聞こえる」ものです。

仏教の一派には、反響する洞窟のなかから意図的に音をとりだして組み合わせ、思い通りの音を聴くという修行があります。いわば、空耳[86]をコントロールするんですね。そこに〈ある〉ものを編集して〈ない〉ものつくり出す。リベラルアーツが目指す方法と同じです。

ではあらためて、そこにないものがあたかも存在するかのように知覚されるのはなぜなのでしょうか？　それは、世界とぼくたちのあいだを埋めようとする理性のはたらきなのかもしれません。そういう性質を意識することで、すこしずつ思考[0]が自由になっていきます。

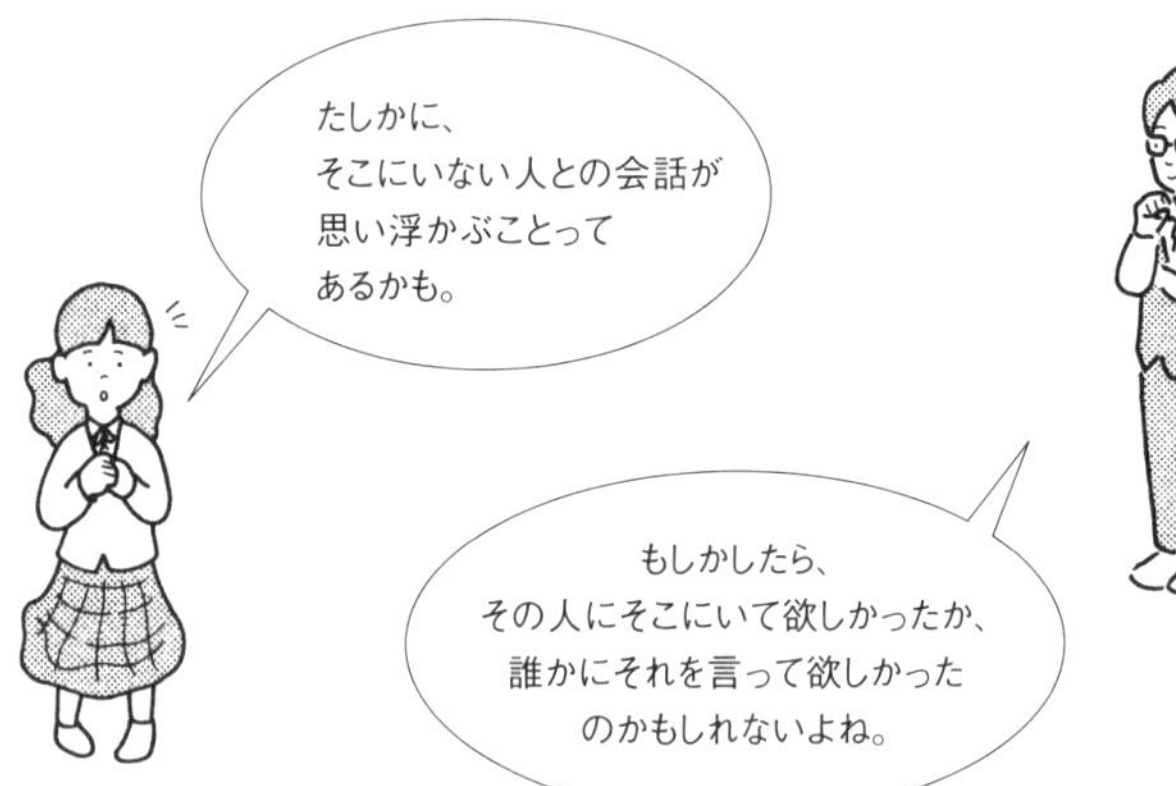

たしかに、
そこにいない人との会話が
思い浮かぶことって
あるかも。
もしかしたら、
その人にそこにいて欲しかったか、
誰かにそれを言って欲しかった
のかもしれないよね。

先に立つ理由

ぼくたちはなぜ存在しているのか？

この世界を見渡せば、さまざまなものが存在[16]します。そして、そのなかにはぼくたち人間も含まれます。

では、なぜ人間は存在するのでしょうか？　ぼくは小学生から社会人まで毎年たくさんの人たちと出会って対話をする活動をしています。そのなかで、哲学的な対話になっていくことも多いのですが、たまにドキッとする質問をされることがあります。その一つが、この質問です。こういう問いに出会うたびに「人はなぜ、そんな疑問を持つのだろう？」という別の問いが立ち上がってモヤモヤします。

人間はなぜ存在するのか？

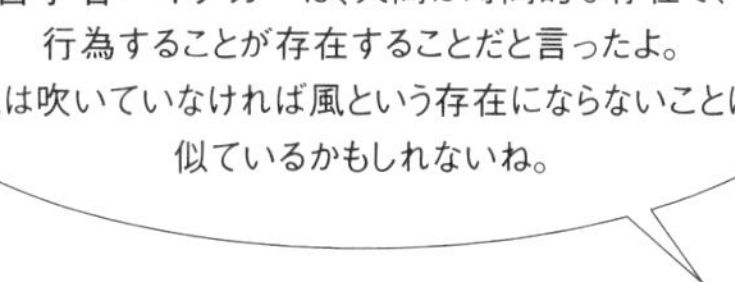

存在について考え抜いた
哲学者ハイデガーは、人間は時間的な存在で、
行為することが存在することだと言ったよ。
風は吹いていなければ風という存在にならないことに
似ているかもしれないね。

ぼくも小中学生のとき、さんざん考えた問いでした。そのころは「そんなことはテストに出ないから必要ない」というような意見が多い時代でしたから、ひとりで悩みながら、過去に同じことを考えた人の意見を聞きたいと思い、かたっぱしから本を読みました。本当に大事なことはきっと誰かがすでに考えて、どこかに残してくれている。そんな気がしていました。読書は、あるかどうか分からない「宝」を探す冒険でした。

「巨人の肩の上に立つ」は、科学[66]の分野で使われることが多いたとえですが、過去の偉大な研究や考察を知って、そこから世界を見るとさらに遠くまで見渡せる、ということです。

ぼくたちの考えは可能性に満ちています。でも一方で、すでにそれを考え抜いた人たちがいるならば、過去に存在した彼らとチームで未来[34]に向かったほうが素敵ですよ

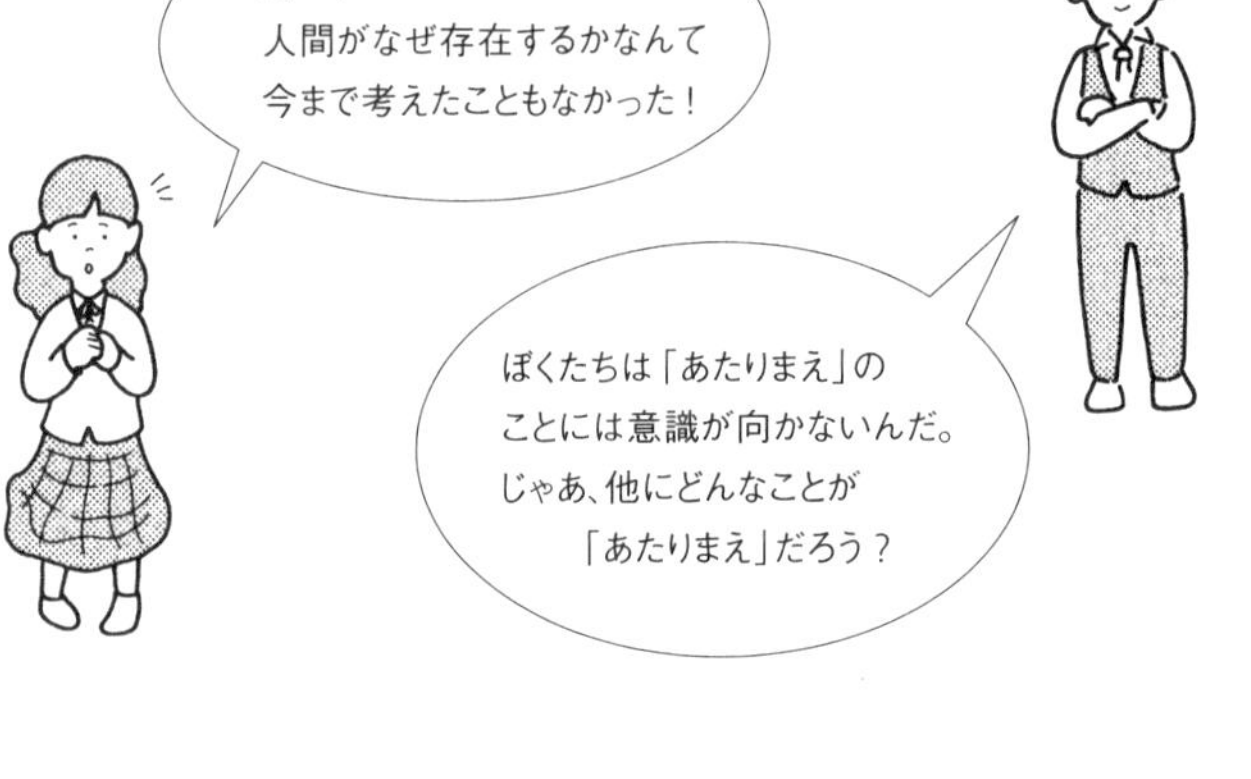

え～！
人間がなぜ存在するかなんて
今まで考えたこともなかった！

ぼくたちは「あたりまえ」の
ことには意識が向かないんだ。
じゃあ、他にどんなことが
「あたりまえ」だろう？

ね。ぼくたちが本当に知りたいことのほとんどは、道を歩いていてパッと思いつくようなことではない。だからこそそれに情熱を注いだ人を探して、その遺志を受け継ぐことで、ぼくたちはさらに先に進めるかもしれない。

あらためて、なぜ人間は存在するのか？

あなたはどう考えましたか。ちょっと視点を部分に向けてみます。たとえばなぜ目が存在するのか。見るべき世界が先にあった。光があったから、それをとらえるために目という器官ができて視神経で脳につながった。ではなぜ耳があるのか。それは先に音があったからですよね。耳ができてから音ができたはずがない。人間というのは様々な器官が[20]**有機的**に結合した集合体です。ですから、ぼくたちが存在する理由もまた、ぼくたちよりも先にあったと思うんです。

考える対象が先にあったから、思考するための脳がで

20 有機的　たくさんの部分が連なって関係し、影響を与え合いながら全体を作っているさま。オーガニック。人工的で機械的なシンプルな構造ではなく、どこまでが全体で、どこがどう影響し合っているか分からない、自然界のものごとのような構造。自然界の境界の曖昧（あいまい）さについては、たとえば新幹線の窓から「富士山が見える」などと言うが、そのとき新幹線が走っている場所も富士山のふもとの一部だったりする。山すそは日本一深い湾である駿河湾までおよび、海とも複雑に影響し合いながら存在している。

きた。つまり、存在している時点で先に何か意味[21]があるのかもしれない。どんな意味があるのかは分からないけれど、意味があることだけは推測できるわけです。

問いには色々な種類があります。答えがたくさんある問題もあるし、答えがあるかどうかすら分からない問題だってあります。ぼくは、あるかどうか分からない答えを追い求めることにもロマン[18]を感じますが、答えがあることは分かっているけれど、まだ誰も最適解を見つけていないような問いには、特に希望を感じます。

ＳＤＧｓのような世界規模の問いはもちろん、ビジネスにおいても日常日常においても、そのような問いを見つけて解決策を考え、試行錯誤していくことが、個人の人生だけでなく、社会全体のアップデートにつながるはずです。

答えが隠されている謎はシークレット、
答えがあるかどうか分からない謎は
ミステリー。それどころかまだ問われていない
謎もたくさんある。問いとして認識することで、
はじめて解くことができるんだね。

人間らしさと理性

人間だけにできることは何か？

だんだん話が章の核心に近づいてきました。読んでいてイメージできなかったり分からなかったりしても、大丈夫です。まずは「分からないこと」を認識することが大事で、モヤモヤを受け入れて飼いならすことでそのうち分かってきます。だから安心して読み進めてください。それこそがリベラルアーツ習得のコツなんです。

さて、思うがままにふるまったり、誰かに感情をぶつけたりすると、「人間なんだから、もっと理性的になりなさい」なんて言われることがあります。では、理性ってなんでしょうか？

なんとなく知っている言葉だと思いますが、自分の言

分からないことはストレスになるから、意識していないと、分からないことにすら気づかなくなってしまう。だから、子どもの頃に不思議だったことも、教わったり調べたりしなければ、だんだん不思議に思わなくなってしまうんだ。

葉で説明しようとすると、なかなか難しいと思います。哲学なんて言葉も、よく使われるわりに説明するのが難しい。こういう「なんとなく分かるけれどちゃんと説明できない言葉」というのがたくさんあると思います。辞書を引けばよいのだけれど、なんとなく引かないままここまで来てしまったような言葉。では、なぜ調べなかったのでしょうか?

なんとなく分かっているから、役に立つと思えなかったから、面倒だから、そういった思いがごちゃ混ぜになって、トータルで「まあいいや」ってなっていたのだと思います。

ぼくは周りの友人たちと比べて言葉の**意味**[21]を気にするほうでしたが、にもかかわらず、辞書を引くまでにいたらなかった言葉たちがたくさんありました。もし学生時代にインターネットが普及していれば、なんて思うこともありますが、なかった技術のせいにしてしまうのも人

21 意味 内容のこと。価値や重要性、意図や目的のこと。また、ものごとの深い趣や味わいのこと。意味のほうが理由よりも指し示す範囲が広く、理由も意味のうちである。

間らしさかもしれません。

理性は英語ではreasonといいます。中学生以上であればreasonを知っている人は多いですよね。そう、理由です。つまり理性というのは理由を知りたいと思う性質のことを指していたんですね。

こんなふうに、別の言語にすると分かりやすくなることもあります。哲学というのは、理由をあきらかにするための学ということです。あらゆる生物のなかで人間だけが理性を持っている、つまり人間だけが「理由を気にする存在」[16]だといいかえることができます。

とすると、人はなぜ、そんな疑問を持つのか？ という問いに対して考えられる回答は、そもそも人間は疑問を持つ性質があるから、といえそうです。そして、人間が疑問を持つ脳を獲得したのも、疑問を持つべき対象が

古代ギリシアの哲学者ピタゴラスは、
知力と情熱は他の動物にもあるけれど、
理性があるのは人間だけと考えた。
理性について数学者ポアンカレーは矛盾を回避する能力、
詩人ハイネは人間を照らす
唯一のランプだと言っているよ。

先にそこにあったから、とも考えられます。タマゴが先かニワトリが先か。あなたはどう考えますか。

だいぶグルグルしてきました。ぼくは昔、こういうことを考えていると眩暈(めまい)がしました。永遠に落ちていくような感覚になり、そういうのが楽しくてよく考えていたのですが、もしかしたらそういう「遊び」だったのかもしれないなんて思ったりもします。

社会学者**カイヨワ**[22]が遊びを四種類にまとめたうちの一つが、〈眩暈〉です。子どもたちはよくグルグル回ってフラフラして喜んでいますよね。サーカスやジェットコースターも同じ種類の遊びに分類[43]されています。もしかしたら分からないことを考えるのは楽しいのかもしれないですね（ちなみにあと三つは、勝敗のあるゲームやスポーツなどの〈競争〉、くじやサイコロなどの〈偶然〉、演劇や演奏などの〈模倣(もほう)〉です）。

22 ロジェ・カイヨワ ［1913〜1978］遊びや祭りの研究を経て、人はなぜ戦争を避けることができないのかについて考えたフランスの哲学者。カイヨワの遊びの定義は、自由で非生産的で予定調和ではないルールや制限のある非現実的な活動のこと。つまり、理由や意味がないことが遊びの条件だと

モヤモヤのなかにいたり、グルグル考えることでぼくたちは眩暈を感じます。子どものころは楽しめた眩暈は、大人になるにつれてストレスになっていきます。それは、常識をはじめ色々なことにとらわれているからとも考えられます。合理主義の価値観[32]では、グルグル考えている人はマイノリティーになりがちです。しかし、そういう思考を続けている人こそ、人生に意味を感じ、人生を楽しめるんです。

考えない人は思考停止状態で、社会の流れに乗っているだけともいえます。もちろん、それを意図的に選ぶことができるのもリベラルアーツです。

ただし、流されてしまうのと、流れに乗るのは、雲泥(うんでい)の差です。疑問を持つ性質が自由[0]につながるんです。

古代ギリシアの哲学者たちは「万物の根源」を考えました。つまり、あらゆるものが何からできているのか？

した。またそういう遊びが本能を教育して豊かにし、「毒性」から魂を守る予防注射になるとした。

23 アリストテレス　［前384〜前322］古代ギリシアの哲学者で、さまざまな分野の学問を体系化したため「万学の祖」と呼ばれる。プラトンの学校アカデメイアに学び、マケドニア王子アレクサンドロスの家庭教師となる。その後、書物を集めた学校リュケイオンをつくり、本格的な図書館のモデルとなった。アリストテレスによる論理学書を「オルガノン」と呼ぶが、これは学問を研究するための道具が集まった有機的な機関という意味がある。オーガニックも同じ意味。

ということを探究していたのですが、**アリストテレス**[23]は「存在理由」を考えるべきだと言いました。つまり、あらゆるものがなぜ存在しているのか？　その理由を考えることのほうが大事だと主張したのです。

なぜ、人間は存在しているのか？　そのなかで、なぜ自分は存在しているのか？　そういう疑問を持たなくなってしまったら、ぼくたちは人間らしさを失ってしまっているのかもしれません。

アウシュヴィッツ強制収容所での体験を書いた『夜と霧』で有名な心理学者**フランクル**[24]は、収容所内で死に向かう人々が一様に「自分の存在した意味」を求めたと記しています。

では、理由と意味はどう違うのでしょうか？　あなたは、自分が存在する理由と、自分が存在する意味、どちらを知りたいですか？

24 ヴィクトール・フランクル　［1905〜1997］オーストリアの精神医学者。ユダヤ人。第二次世界大戦中、両親、妻、2人の子どももろともナチスの強制収容所に収容された。収容所でのつらい体験をもとに、人間は状況に束縛されつつも人生の意味を求める存在だとして、精神分析と心理療法の研究に生涯をかけ、患者と医者も同じように「意味を求める人間」として人格的な交流が必要だと説いた。これは、どんな人間関係においても重要な視点だろう。

「意味がないこと」はあるか？

　学校に行きたくないという中高生に理由を尋ねると、圧倒的に多い回答が「学校や勉強の意味[21]が分からない」というものです。意味が分からないとは、どういうことでしょうか？

　これは内容が分からないのではなくて、学校へ行くことや勉強が自分にとってどんな価値やメリットがあるのか分からない。いいかえれば、自分の現在や未来[34]とどう**関係**[25]するのかが分からないということです。

　たとえば、猫を飼っている人にとって、猫の飼い方や習性を学ぶことは明らかに関係がありますよね。そんなふうに共通するキーワードがあれば分かりやすいのですが、なかなか自分の趣味や将来の夢[30]とは具体[82]的に重なら

---

25 関係　二つ以上のものごとが関わり合って影響力をもつこと。同じ世界に存在する以上、すべてのものごとは直接的あるいは間接的に関係があるのだが、ある程度の知識や視点を持っていないと認識できない関係性もある。学ぶことの目的の一つは

ないかもしれません。

関係が分からなければ、自分のなかで優先順位が下がってしまうのは当然です。では、ぼくたちにとって関係ないことは存在[16]するのでしょうか？　一見関係ないもの、関係ないと思われていることに関係性を見つけ、対角線を引く。そのことをぼくは編集[86]と呼びます。

ぼくの父親は口数の多い人ではありませんでしたが、あるときふと「世界は網の目みたいなもんだ」と言ったんです。気づいていないだけで、もともと全部つながっているというんですね。それを聞いたときに、頭のなかでバーッと網の目のイメージ[62]が広がって視界に重なったのを鮮明に覚えています。

ぼくたちは知識や経験をもとに、関係があるとかない[23]とか感じています。多くの場合、アリストテレスのよう

関係性を発見することができ、あらゆることを自分ごととして考えることで、他人や社会の問題にも真剣に向き合えるようになり、平和や幸福も自分の一部となる。

知識や経験が増えると、
関係を見つけやすくなるんだ。

な先人たちによる分類[43]や体系を基準に関係性を判断しているわけですが、それは一つの視点にすぎません。では、新たな関係を見つけるにはどうしたらよいでしょうか？　たとえば、ニュートン[4]が落ちたリンゴを見て万有引力の法則を発見したのは偶然ではありません。ずっとそのテーマを頭に置いて、一見関係ないことを学んだり、日常のなかで観察したりしていたからこそ、未知だった関係に気づけたはずなのです。

　同じ世界に存在している以上、直接的であれ間接的であれ、必ず関係はあります。あなたとぼくだって必ず関係があります。もちろん、読者と筆者という関係もありますがもっと前から関係があったはずなんです。

　たとえば、あなたの家系図を考えてみましょう。両親は二人ですよね。祖父母は四人です。では、曾祖父母（そうそふぼ）は何人ですか？　八人ですよね。このあたりから先はあま

確かにその時は関係ないものでも、あとから関係が見つかることってあるな…

り考えたことがないと思いますが、あなたの四代前には一六人の先祖がいたことになります。五代で三二人、六代で六四人……一〇代で一〇二四人……二〇代で一〇四万八五七六人、二三代で八三八万八六〇八人！　室町時代の日本の人口が八一八万人という記録がありますから、単純計算で人口を上回ってしまいます。縄文時代の人口は二万人程度だったと考えられていますから、もはや完全な「他人」だと考えることのほうが難しいのではないでしょうか。

ちなみに人間とチンパンジーの遺伝子は九八・五％を共有していておそらく先祖は同じですが、人間とバナナも五〇％以上の遺伝子を共有しています。そう考えると、関係ないものなんて存在しないのかもしれません。であれば、ぼくたちが気づいていないだけで、あらゆるものごとには意味が潜んでいるといえます。

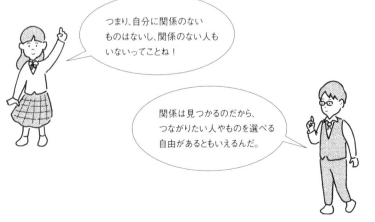

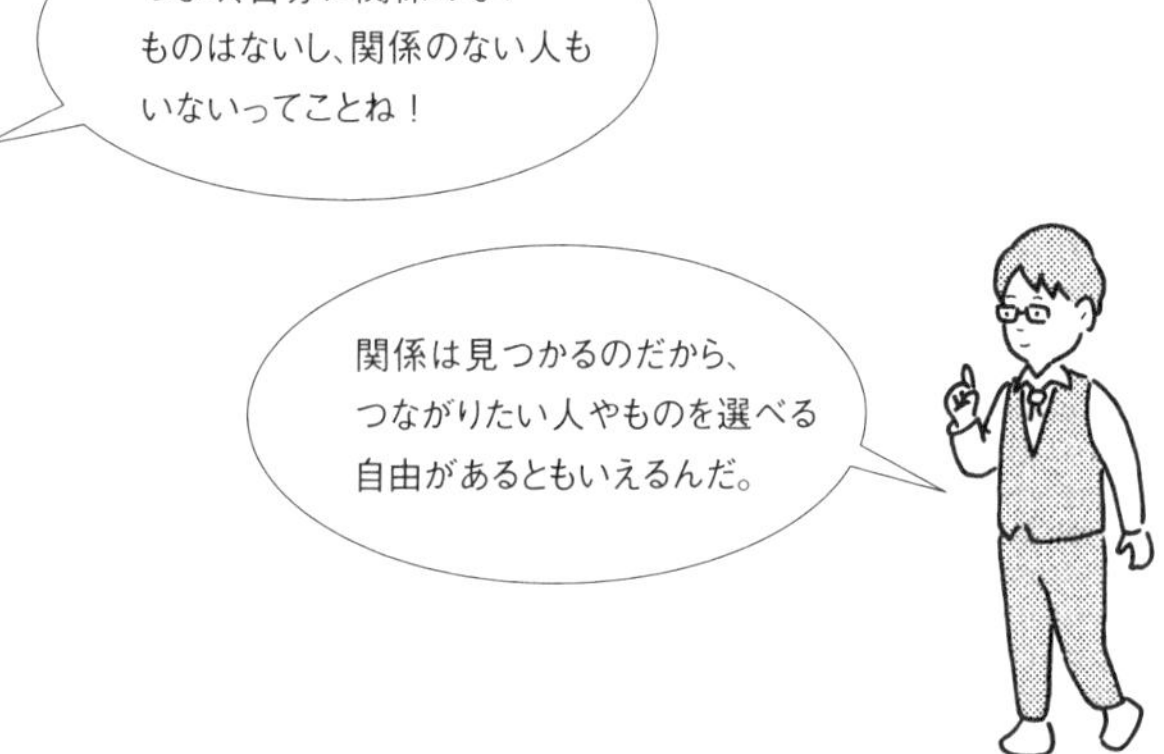

つまり、自分に関係のないものはないし、関係のない人もいないってことね！
関係は見つかるのだから、つながりたい人やものを選べる自由があるともいえるんだ。

縮小する世界

世界はどこまでつながっているのか？

過去の話は置いておいて「いま」に限定しても同じようにぼくたちには関係[25]があると考えられます。

スタンレー・ミルグラムという心理学者が行った『スモール・ワールド実験』というものがあります。アメリカの都市オマハに住む人を無作為に選び、ボストンに住む株式仲介人の写真と名前を送り、その人物を知っていたらその人物に手紙を送り、知らなかったらその人物を知っていそうな人に同じことをするように手紙を送るというものでした。

その結果、実際に四二通が届き、届くまでに経た人数は平均五・八三人でした。この実験から、すべての人やものごとは六ステップ以内でつながっているという『六

ちなみに、日本人の平均知人数は
200～300人という調査もあるよ。
アメリカ人はなんと1000人以上！
日常的にパーティーをしたり、知人が多いほうが
転職などに有利だと考える国民性が
影響していると考えられているよ。

次の隔たり』という仮説[67]が生まれました。

たとえば、あなたの知り合い四五人にあることを伝えます。その四五人がそれぞれの知り合い四五人に伝えます。という具合に続けていくと六回目で地球の人口を超えますす。すごいですよね。

でも、ちょっと待ってください。何か違和感[26]はありませんでしたか？

まず第一に、この実験はアメリカの国内だけで行われたものです。実際に世界中をフィールドに調査したときに同じ結果になるとは限りません。第二に、知り合いの知り合いは重なっている可能性があります。実際に、顔が広い人は何百人もの知り合いが重複していることも珍しくありません。違和感を覚える、というのはとても大事な視点です。

26 違和感　何かがズレていて、調和していない感じのこと。そもそも人間は、違和感を覚えたときに、思考や探究がはじまるものなのだが、疑問を持っても「関係ない」「意味がない」と言われたり思ったり、あるいは調べたり考える時間がないほど忙しかったりすると、だんだん自分自身の違和感に気づかなくなり、思考停止状態におちいる可能性がある。

そんなわけで、このあと同じように違和感を覚えた研究者たちによって様々な検証実験が行われましたが、調査エリアを地球規模に広げても得られる結果はあまり変わらず、これらのデータはＳＮＳが発達するきっかけの一つになりました。知り合いの知り合いを認識できるのが、多くのＳＮＳの特徴の一つです。直接知らない人でも、この人と友達ならつながってもいいかな、という判断材料になり、人が電波塔のように機能して、人同士をつなげていったわけです。

二〇一一年には世界中のＦａｃｅｂｏｏｋユーザーのうち任意の二人を隔てる人の数は平均四・七四人であるというミラノ大学との共同研究結果が発表されました。やはりぼくらが気づいていないだけで、あらゆる人がつながっている、少なくともとても近くに存在[16]しているのです。きっと、人だけではなくてあらゆるモノやコトも同じなのではないでしょうか。

インターネットで人類ははじめて
グローバルにつながったんだ。
福沢諭吉は1866年に代表作『西洋事情』において
西洋の電信は「蜘蛛の網」のようだと表現して、
扉絵には地球に電線を張り巡らせて
その上を飛脚が走るイラストを
載せているよ。

ぼくたちは本当に選択しているのか？

想像してください。自分と深く関係[25]があるモノやコトはなんでしょうか？　それを中心に浅いけれども関係があることも考えてみてください。時間をかけて紙に書きだしてみると想像しやすいと思います。関係が想像できている世界が、いまのところの「あなたの世界」だといえます。その世界のなかで、ぼくたちは夢を見たり[30]、計画を立てたり、問題を見つけたり解決したりすることができます。

「井の中の蛙（かわず）、大海を知らず」

これは中国の思想家**荘子**[27]の言葉です。考えや知識が狭

27 荘子（そうし）［前370頃～前300頃］中国の思想家。すべてのものごとも世界自体も変わっていくので、貧富や善悪だけでなく、生死や空間・時間すら区別せずに、平等視することで現実の苦悩から逃れようという「万物斉同（ばんぶつせいどう）」を説いた。簡単にいうと、比べたりこだわったりしないことで心の自由と平安を手に入れようという思想。日本では江戸時代、俳諧や絵画を好む知識人たちのあいだで必読の書として大流行した。

くて、もっと広い世界があることを知らない。世間知らずのこと、見識の狭いことをいいますが、一番の問題は自分の知っている世界の外側にも世界が存在していることを認知していないところにあります。

ぼくたちはインターネットを使って、あらゆる世界とつながっているし、つながることができる、と思いこんでいます。しかし本当にそうなのでしょうか？

たとえば、ぼくたちがインターネットを使うとき、自分の知っていることや興味がありそうなキーワードで検索をかけます。そして、そのデータからＡＩがぼくたちが興味を持ちそうなサイトを巧みに探し出してリンクを張ってきます。

ぼくたちは自分で判断して自由にリンクを選んでいるように感じますが、じつは選ばされているのかもしれません。このような現象をフィルターバブル現象といいま

私たち、インターネットで
すぐ繋がれることに
頼りすぎているのかもね。
ぼくたちが関係を発見できるように、
AIも関係を見つけ出して、つなげようと
してくるんだ。それを認識したうえで
活用しないとね。

す。選んだ情報でできた泡のドームのなかにいるみたいだというたとえです。

そうなんです。ぼくたちはあらゆる人やモノやコトとつながれる一方で、近くに存在しているのに、遮断されているかもしれないのです。本当に自由になるためには、そういう構造に気づく必要があります。これを**メタ認知**[28]といいます。

では、気づかないままでいるとどんな問題が起こるでしょうか？　同じような興味関心や価値観[32]を持つ人や情報とばかり接することになると、同じような意見ばかりが目につき耳に入ります。そうすると、まるで世界中みんながそう言っているように思えてきてしまいます。これをエコーチェンバー現象といいます。反響する部屋のなかで同じ声を何度も聞いているというたとえです。

28メタ認知　自分の行動や考え方などを別の立場から客観視して認知しようとすること。客観的に把握できるとはじめてコントロールできるようになる。たとえば自分自身の動画を見ることで、自分では気づいていなかった話し方や動作の癖を把握することができ、直すことが可能になる。

つまりぼくたちは、自分自身がどんな人間なのかを知り、自分の世界の境界を感じ、その外側の世界があることを知り、自分の世界をどんどん広げていくことで、より選択肢を多く持ち、自由度を高めることができるわけです。

では、[82]具体的にどうしたら「外側」に出られるのでしょうか？　ぼくが実践している方法を紹介します。

まずオススメするのが、本屋さんや図書館をフラフラ歩いてみることです。知りたいテーマやキーワードを頭に浮かべながら、できるだけそのテーマと関係なさそうな棚をめぐります。本棚は立体的な構造ですし、本の表紙や背表紙は検索結果の文字列とは違う固有の[62]イメージを持っています。そういう情報に触れることで、ネットではたどり着けなかった意外なつながりを発見できるかもしれません。

自分と世界に境界を
つくっているのは、
自分自身なのか…
分けることで
分かりやすくもなるけど、
分断することにも
なるんだ。

また、古い書籍の多くは電子化されていませんので、図書館のほうが検索ではたどり着けない情報と出会える可能性があります。

無演奏の曲をつくったジョン・ケージ[19]は、自らの作品に偶然性を吹き込むためにサイコロを使った作曲もしました。自分の想定を超えることで「外側」に出ようとする工夫です。同じように、ネットで検索するときも、調べたいことと意外なキーワードを一緒に使うことで、自分やＡＩの境界を破ることができます。

たとえば、辞書などを適当に開いてそこにある言葉と組み合わせて検索してみると、いつもと違う結果が出るはずです。ちょっとした行動の繰り返しが、未来[34]の可能性を無限に増やしていくことにつながるんです。

ケージは『4分33秒』を発表した10年後に
続編として『0分00秒』という作品を発表して、
東京で最初に「演奏」されたんだ。
さて、どんな「曲」だと思う？

影響する感情

あなたは世界を変えられるか？

「どうせ世界は変えられない」

そんな声をよく聞きます。本当にあなたには世界を変えられないのでしょうか？

たとえば、ぼくがこの本を書いている二〇二三年の世界人口はおおよそ八〇億人です。では、あなたが新しい視点を得たり考え方が変わったとします。八〇億分の一の人類が変化したことになりませんか？

そういう視点を持つことが、希望につながります。ぼくたちは微力かもしれませんが決して無力ではないんです。現在、**ネットワーク**[29]でつながっているぼくたちは、きっと想像以上の力を持っています。

29ネットワーク　網の目状のもの。もともとはラジオやテレビの放送網のこと。現在では複数のコンピューターを結んでデ

『六次の隔たり』は人のつながりを示す仮説[67]でしたが、口コミだけでなく態度や感情も人を隔てて影響を与えるという仮説があります。

医学博士であり社会学者のニコラス・クリスタキスによれば、幸福や孤独は知り合いの知り合いの知り合いまで影響を与えることができ、これを『三次の影響』といいます。それ以上離れるとほとんど影響がなくなりますが、それでも多少の影響は認められるといいます。ネットワーク上のつながりが三次を越えると不安定になる理由としては、三次までは知り合いの知り合いが知り合いだったり、複数の線でお互いのネットワークがつながり補強されていることが多いのですが、三次を越えると関係[25]線が減り、安定したつながりになりにくいんです。

また、人間はいままでその生活範囲において、三次以上離れた人など存在[16]しなかったため、三次を越えるよう

ータを共有するインターネットなどのシステムや、情報交換などを目的とした個人や組織同士のつながりを指す。まだ情報の電子化が進んでいなかった時代は、実際に移動して情報を運ぶ人が必要で、松尾芭蕉をはじめとした江戸時代の俳諧師には、各地の要人に情報を運ぶネットワーカーとしての役割もあった。

「喜べば喜びごとが喜んで
喜び連れて喜びに来る」
という歌があるけれど、
まさにネットワークを通じて
感情も伝わるんだね。

な影響力を持つことは進化論的に必要なかったことも理由の一つと考えられています。

影響を与えられるのが知り合いの知り合いの知り合いまでじゃ、世界を変えることなんてできない、と諦めてしまっていいでしょうか？　いやいや、ぼくにはこの仮説はとても希望的に聞こえます。

だって、直接自分の知り合いではない、知り合いの知り合いにも影響を与えられるなんて、すごいことだと思いませんか？　ハッピーな人の知り合いの知り合いの知り合いまではすこしのハッピーが伝染するというんです。

ネットワークでつながった人間は次の進化のステージを迎えるのかもしれませんし、ぼくたちはもうすでに思ったよりもずっと世界に影響を与えられる存在なのかもしれません。

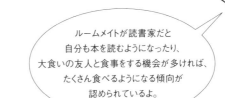

自分が変わりたかったら
付き合う人を変えろ、
という話を聞いたことがあるよ。
それもこれに関係があるのかな？

ルームメイトが読書家だと
自分も本を読むようになったり、
大食いの友人と食事をする機会が多ければ、
たくさん食べるようになる傾向が
認められているよ。

昔のあなたといまのあなたは同一人物か？

こんどは過去・現在・[34]未来の自分同士のつながりと[25]関係について考えてみます。ぼくたちは日々変化していますが、自分では気づきにくいものです。

ぼくは小学生のころ、ものすごく太っていました。毎週保健室に呼ばれて一週間何を食べたか報告させられていたこともありました。そんなぼくは、地元から離れた中学に進学したので、卒業後、同級生と会うこともありませんでした。

時は流れて、地元の成人式に出席したとき、ひさしぶりに同級生と再会したのですが、当時からは考えられないくらいやせていたぼくは、名乗っても誰にも信じても

鏡がなかった時代は、どうだったんだろうね。

私は毎日
鏡見てるから、
自分の変化は
分からないな。

久しぶりに
会った友だちには、
変わったとか
言われるよね。

らえなかったんです。とっさに当時のエピソードなど思い出して話したのですが、ムダでした。言葉ではうまく説明できない不思議な眩暈（めまい）を感じたぼくは、そのまま会場をあとにしました。それ以来、小学校の同級生とは一度も会っていません。こんなとき、あなたならどうやって自分であることを証明しますか？

ちょっと思考実験をしてみましょう。未来のお話です。ついに瞬間移動できる〝転送装置〟が発明されました。世界中の都市に設置されている転送装置に入ってスイッチを押せば、一瞬で行きたい都市にある転送装置まで移動できるのです。その仕組みは、次のようなものです。

まず、転送装置に入ると体中を原子[35]レベルでスキャンしてデータを取り込みます。衣服や持ち物もすべて一緒にデータ化されます。そのデータは行き先の転送装置に

学歴や資格、職種などは
アイデンティティとはいわないよ。
いつどこで何をしていても
あなただといえることはなんだろう？
そういうあなたらしさが
自分軸なんだね。

送信され、素材として用意されている原子が組み合わされて「まったく同じ人間と持ち物」が構成されます。記憶や精神状態もすべてデータ化されているため、身体や持ち物だけでなく心も変わりません。細かい傷や、その古さも正確に再現されます。しかし、まったく同じ人間がふたり存在する[16]とさまざまな問題が起こるので、転送完了と同時に記憶や心のデータは消去され、もとの身体や持ち物はすべて分解されて素材原子として再利用されることになります。

この転送装置は、世界中の人々が主要な交通機関として日常的に利用していますが、事故や問題が起こったことはありません。さて、転送装置から出たあなたは考えます。いま考えている自分は、本当に自分だといえるのだろうか？

「井の中の蛙」で引用した荘子[27]による『胡蝶（こちょう）の夢[30]』とい

自分がバラバラに
なるなんて想像
したくないなあ。
そんなふうに普段
考えないことに頭を使うことで、
想像力がついていくんだよ。
いや、
想像したくても
できないよ…

う説話があります。蝶としてひらひらと飛んでいる夢を見て目が覚めたが、自分が夢のなかで蝶になっていたのか、いまの自分は蝶が見ている夢なのか分からなくなった、という話です。いま、この瞬間が夢か**現実**[31]かをどうやって判断しますか？

なんだか不安になってしまったかもしれませんが、そもそもアイデンティティは危ういものだし、ゆらぐものです。そういうものだとメタ認知[28]していれば大丈夫です。『転送装置』も『胡蝶の夢』も「自分」が何者かについて深く考えるきっかけをくれる問いかけだと思います。分からなくても考えることに意味[21]があるんです。

---

30 夢　（まだ）現実でないこと。また、睡眠中に体験される映像のこと。ふつうは目覚めたあとに夢だったと回想されるが、まれに夢のなかで夢だということが分かっている明晰夢という状態を体験することもある。夢を見ている自分は現実であって、見ている夢は非現実ということになるが、精神分析学者フロイトによれば、夢の内容は、それまで経験したことの組み合わせである。

31 現実／リアル　事実として目の前にあらわれていること。実際に存在していること。空想や理想の対義語とされるが、空想や理想が現実になることもある。逆はない。「リアル」は現実的という意味も含む。

あなたは何を大事にしているのか？

さて、もう一つ思考実験をしてみましょう。あなたが道を歩いていると、博士風の男の周りに人だかりができていました。近づいて覗(のぞ)いてみると、男が持っているボタンを押すだけで一〇〇万円をもらっている人がいます。どう見てもボタンを押しているだけで、その結果何かが起こっているようには見えませんが、押すのを拒んでいる人もいます。人だかりをかき分けてさらに近づくと、ボタンを持った男と目が合いました。

「こんにちは。このボタンにご興味がおありですか？　私はこの『5億年ボタン』の実験モニター[10]を募集している者です。このボタンを押すとあなたは別次元に飛ばされます。そこでは飲まず食わずでも平気ですし、病気にもなりません。苦痛を感じることもないですし、老化もしません。特に何もしなくて構いません。そこで五億年過ごしたあと、その期間の記憶を完全に消去して、ボタンを押した直後のこちらの世界に戻ってきてもらいます。こちらの世界に戻りしだい一〇〇万円をお渡ししますので、そのまま帰宅していただいて構いません。身体のチェックや面倒なアンケートなども特にございません」。

先ほど一〇〇万円をもらっていた人に話を聞くと「本当にボタンを押しただけで、何も変わったことはないし、あったとしてもまったく覚えていない」と言います。さて、あなたならこのボタンを押しますか？　それはなぜですか？　また、もし「押さない」を選択したのだとしたら、異次元に飛ばされている時間がどれくらいならこのモニターを受けますか？

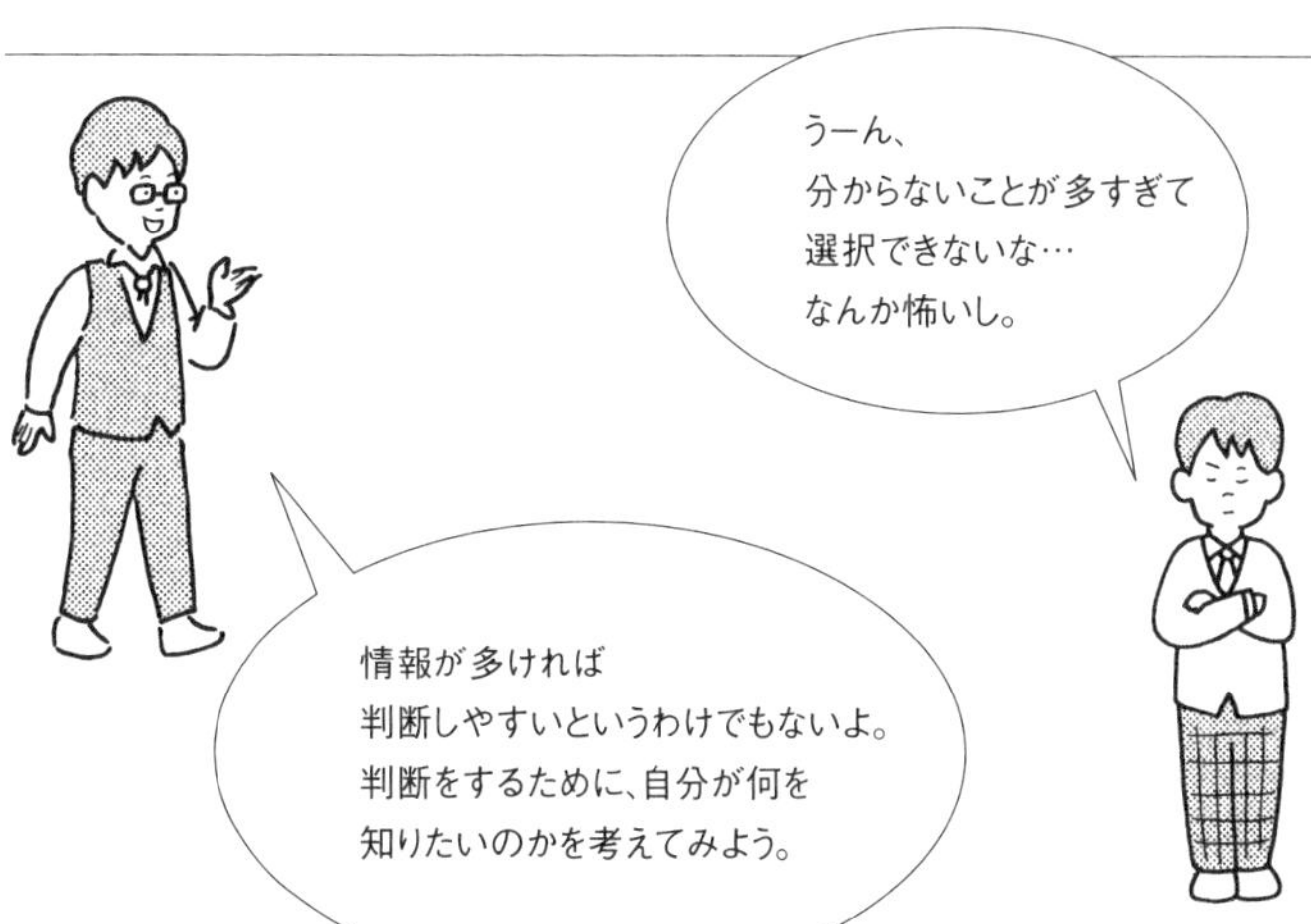

うーん、
分からないことが多すぎて
選択できないな…
なんか怖いし。
情報が多ければ
判断しやすいというわけでもないよ。
判断をするために、自分が何を
知りたいのかを考えてみよう。

さて、あなたはどう考えたでしょうか。『5億年ボタン』
はマルチクリエーター菅原そうた氏が考案した思考実験
です。ぼくは授業でよくあつかうのですが、押さない派
の人が圧倒的に多いです。「時給で計算しようとして割
が合わない」「長時間何もしないことが苦痛」「たったひ
とりだとしたら耐えられない」「想像できないから怖い」
21 「せっかくの異次元と五億年の経験を覚えていないなら
意味がない」「不老とは言っているが事故で死ぬ可能性
がある」という理由が多いです。ちなみにボタンを押す
派の意見としては、「そもそもボタンの機能を信じてい
ないので、一〇〇万円くれるなら押す」「最終的に覚え
ていないなら問題ない」「何もしなくていいということは、
何かやってもよいということだから色々挑戦したい」「単
純に異次元に興味がある」という意見があります。

どれかを選ぶということは、
それ以外を選ばないこと
ともいえるね。
選択するたびに
パラレルワールドが存在する
と思うと気が遠くなるな…
選ばなかった世界線を
想像するのは、
ちょっと楽しいかも。

この問いに対して何を基準に考えたかが、あなたの**価値観**[32]の一面を表しています。お金が基準なのか、自由[0]が基準なのか、孤独や人間関係[25]が基準なのか、過去や記憶が基準なのか、安心や予測可能性が基準なのか、はたまた興味や好奇心が基準なのか、冒険や挑戦が基準なのか。自分が最も大事にしているのは何なのか、改めて考えてみてください。

また、過去の自分だったら、同じ選択をしたでしょうか？　未来[34]のあなたはどうでしょうか？　そこにあなたのアイデンティティの軸とゆらぎと成長[1]が垣間(かいま)見えるはずです。

ちなみに、この思考実験には続きがあります。あなたがボタンを押していたとして、ここに五億年間の記憶を取り戻せる「思い出しボタン」があります。あなたは押しますか？

32価値観　ものごとを評価する際の判断基準となる態度や見方。多様な視点を持つことで価値観を広げることができ、多くの人に共感することができるが、価値観の違いをすべて認めてしまうと社会が安定しない可能性があるため、法律やルールなどで調整することが必要。絶対的な基準を持つか、相対的に評価するかも価値観による。

あなたは何者なのか？

あなたが誰なのかは、誰も教えてくれません。それは意地悪をしているのではなくて、あなたにしか分からないからなんです。

かつてギリシアのアポロン神殿の入口には「汝(なんじ)自身を知れ」[21]という言葉が刻まれていたといいます。いったいどういう意味だと思いますか？

古代ギリシアの哲学者たちは人間の精神や性質を完全に理解することはできないと考えていました。だとすると、自分自身のことも完全に理解することはできないことになります。そこには神の前で謙虚になれというメッセージや、不可能と分かっていても立ち向かう態度の重要さなど、さまざまな解釈が考えられます。

詩人で科学者だったゲーテは、
人間は結局自分のなりたいと
思う人間になると考えたよ。

全部目指すんじゃなくて、
一部分でいいんじゃない？

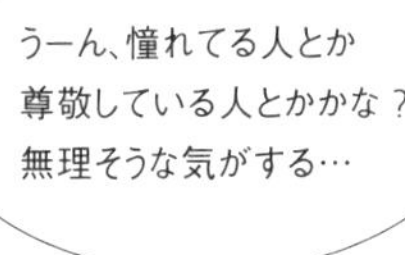

うーん、憧れてる人とか
尊敬している人とかかな？
無理そうな気がする…

自分が何者なのかを考える一つの指針に「**真善美**[33]」があります。〈真〉は、自分は何を信じるのか、〈善〉は、何がよいことだと思うのか、〈美〉は、何を美しいと感じるのか、ということです。あなたの「真善美」は何でしょうか？　それぞれ三つずつ挙げてみてください。

授業であつかった際によく挙がる回答を紹介すると、〈真〉は家族や友人、自分、神、お金、好きなアーティスト、知識や技術なんて答えもあります。あたりまえのことですが、十人十色、みんな違いますから教科書に「真とはこういうものです」というふうに書けるものではありません。〈美〉は形あるものと形のないものに答えが分かれます。形あるものではさらに自然か人工か、形のないものでは心や記憶などの精神的なものと、視点や関係[25]などの方法的なものに分かれます。

33 真善美　知性（認識）の対象が「真」、意志（倫理・実践）の対象が「善」、感性（審美）の対象が「美」。ドイツの哲学者カントは哲学的な問いを
（1）私は何を知りうるか？
（2）私は何をなすべきか？
（3）私は何を希望してよいか？
（4）人間とは何か？
の4つにまとめ、（1）〜（3）の問いはすべて（4）の問いに関係するとした。これらの考えから、私という人間とは何か？ということはすなわち、私の真善美は何か？を知ることだという基準が広まったと考えられる。

三つのなかで特に悩む人が多いのが〈善〉です。学校で習う「道徳」[57]とは違うのですが、そういう意見が多くなりがちです。道徳は何がよいことで何が悪いことかを社会の価値観[32]で決めていますが、ぼくたちは必ずしもみんなと同じ感覚・意見ではないはずです。

たとえば野生動物を保護することを善とする人もいますし、野生のまま見守ることを善とする人もいます。「法律ではよいことになっているけれど、自分はやめたほうがよいと思う」なんてことはたくさんあると思います。法律だって国や時代によってまったく違います。

よく「自分がされたら嫌なことを、人にしてはいけない」といいますが、これについてどう思いますか？　この意見は一見もっともらしいのですが、よく考えてみると自分と他者の感覚が同じであるという隠れた前提があります。では、自分が嫌じゃなければ問題ないのでしょ

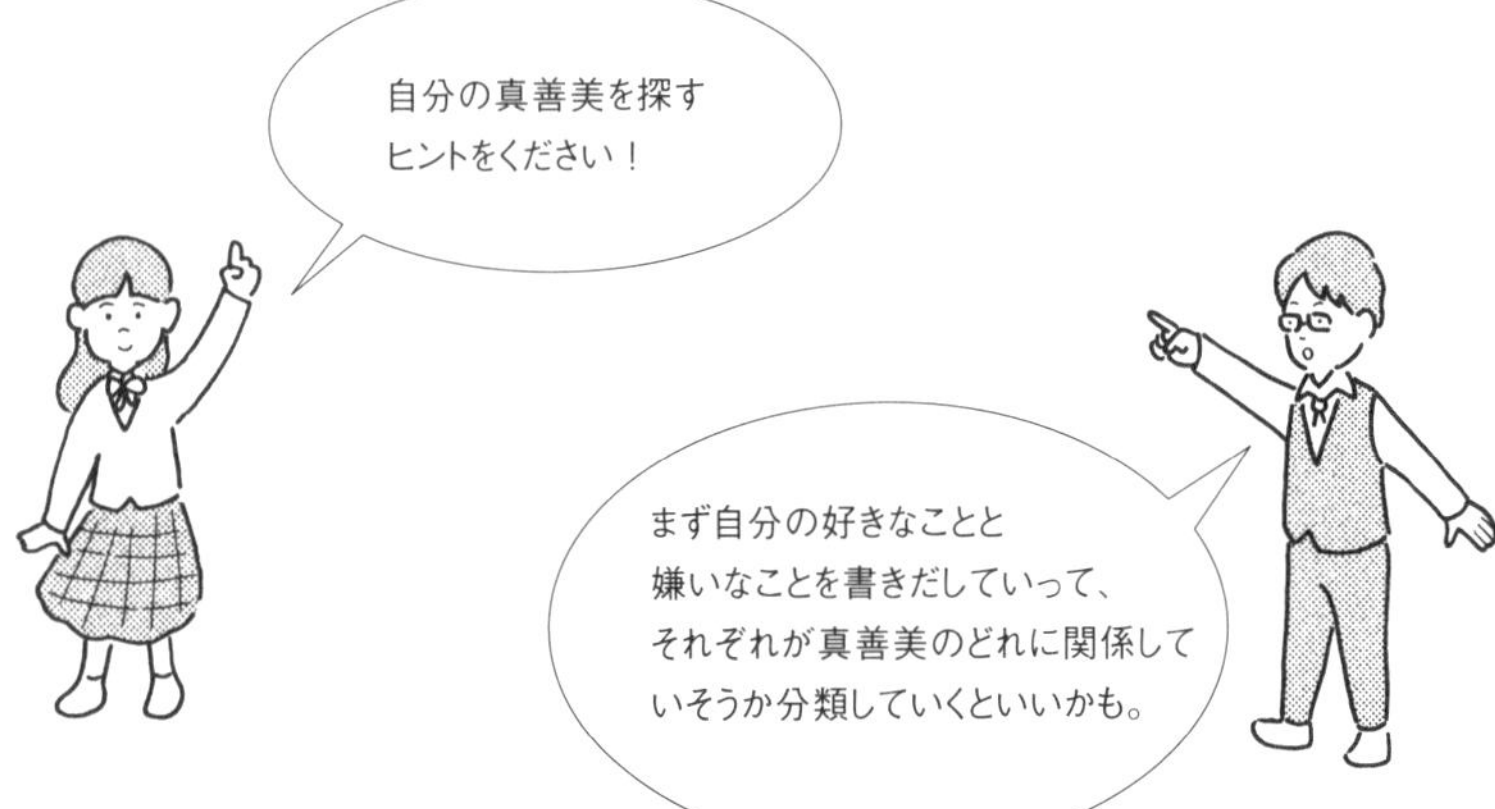

自分の真善美を探す
ヒントをください！
まず自分の好きなことと
嫌いなことを書きだしていって、
それぞれが真善美のどれに関係して
いそうか分類していくといいかも。

うか？　それこそ食べものの好き嫌いがみな違うように、行為の好き嫌いや、その度合いもみな違います。自分がされて嫌かどうかではなくて、相手が嫌がったらダメなんです。

ぼくらは性格も経験も価値観も違います。お互いに完全に分かり合うことは不可能です。でも、だから諦めてしまうのではなくて、すこしでも分かろう、想像しようという姿勢こそが大事なはずです。

あらゆるコミュニケーションは、お互いが向き合うことから始まります。そのためにも、まず自分がどういう価値観を持っているのかを認識することで、他者とは違うんだということ、また誰もが違うんだということを実感することが大事なのだと思います。

自分だけじゃなく、
相手が嫌なことを
想像するんだね。

たとえ、それが違っていても
自分の気持ちを想像しようとして
くれる人は信頼できるよね。

一〇年後の自分が想像できるか？

さて、自分がどんな人間なのかすこし分かってきたでしょうか？

自分の五年後・一〇年後・二〇年後はどうなっているでしょうか？　想像してみてください。二〇年後をリアル[31]に想像できた人はあまりいなかったのではないかと思います。想像しやすさは、自分との近さで決まります。能力的にも時間的にも近いほど想像はリアルになっていきます。

もし、あなたに自分で選択した具体的[82]な夢[30]や目標があるのなら、それは素晴らしいことです。それに向かって努力することですこしずつ将来の想像がリアルになって

パソコンの父と呼ばれるアラン・ケイによれば、
未来を予測するもっとも簡単な方法は、「未来を自分でつくること」。
『赤毛のアン』には「どうせ空想するなら、思い切りすばらしい
想像にしたほうがいいでしょう？」という一節があるよ。
アンと同じように、自由に想像を「選択」してみよう！

いくのなら、実現に近づいているはずです。
一方で、もし、あなたが未来[34]の自分を想像できなくて焦（あせ）っているとしても、どうぞ安心してください。未来が想像できないということは、あらゆる可能性があるということでもあるのです。

ふつう年齢を重ねるごとに、将来は予測しやすくなります。赤ちゃんはもちろん無限の可能性がありますが、学生より社会人、若者よりも高齢者のほうが未来を想像しやすいのはなぜでしょうか？　年齢を重ねるということは、自分とのつき合いが長くなるということです。モヤモヤしたりグルグルしたり試行錯誤しながら、すこしずつ真善美[33]や興味関心など自分軸の輪郭（りんかく）や性質や能力の可能性が分かってきます。自分というものが正確に把握できるほど、未来は想像しやすくなります。

34 未来　まだ来ない時のこと。見通しが立つ場合は将来という。「いろは歌」の最後に「有為の奥山今日越えて浅き夢見じ酔ひもせず」という一節がある。仏教的解釈では、有為というのは変わりゆくものを指し、未来やそれによって抱く不安や煩悩などもそれにあたる。未来は理想であり予測であり、まだ現実となっていない幻想であるからそれによって右往左往しないで無為自然の境地にいたることが悟りであると解釈できる。

ただ、それは必ずしもよいことばかりではありません。一つの将来がリアルに想像できてしまうというのは、他の可能性に気づけなくなっているともいえます。

ぼくはもうそれなりの年齢ですが、それでも来年自分が何をやっているか想像できません。また本を書いているかもしれませんし、会社をつくっているかもしれない、はたまた世界を旅しているかもしれない。日々、あえて自分でも未来を想像できなくなるような選択をするように心がけています。それはぼくにとって自由を感じながら生きることでもあります。

選択できる状況にあるとき、ぼくたちは自由を感じます。選択するためには、選択肢が必要です。選択肢はいま見えているものだけではありません。すでにあるのにも関わらず気づいていない選択肢もありますし、まだ存

―在しない選択肢もあるはずです。それらを見つけ出し、あるいはつくりだすこと。そして、そのなかから、自分の意志で選択するための知識と技術こそがリベラルアーツです。

選択するためには、その選択をするとどうなるのかを想像できるかどうかが鍵になります。もちろん、想像できないほうを選択することもできますが、そのためには「想像できない」というメタ認知[28]が必要です。

もう一つ、忘れないで欲しいのが、そもそも、想像できたところでその通りになるとは限らないという前提です。いかなる場合でも、誰にとっても、未来に保証なんてない。

つまり、「想像は想像でしかない」というメタ認知も必要だということです。だったら、闇雲に不安がって可能性を楽しまないのは損です。

未来は想像を大きく超えるかもしれない。まだ見ぬ夢

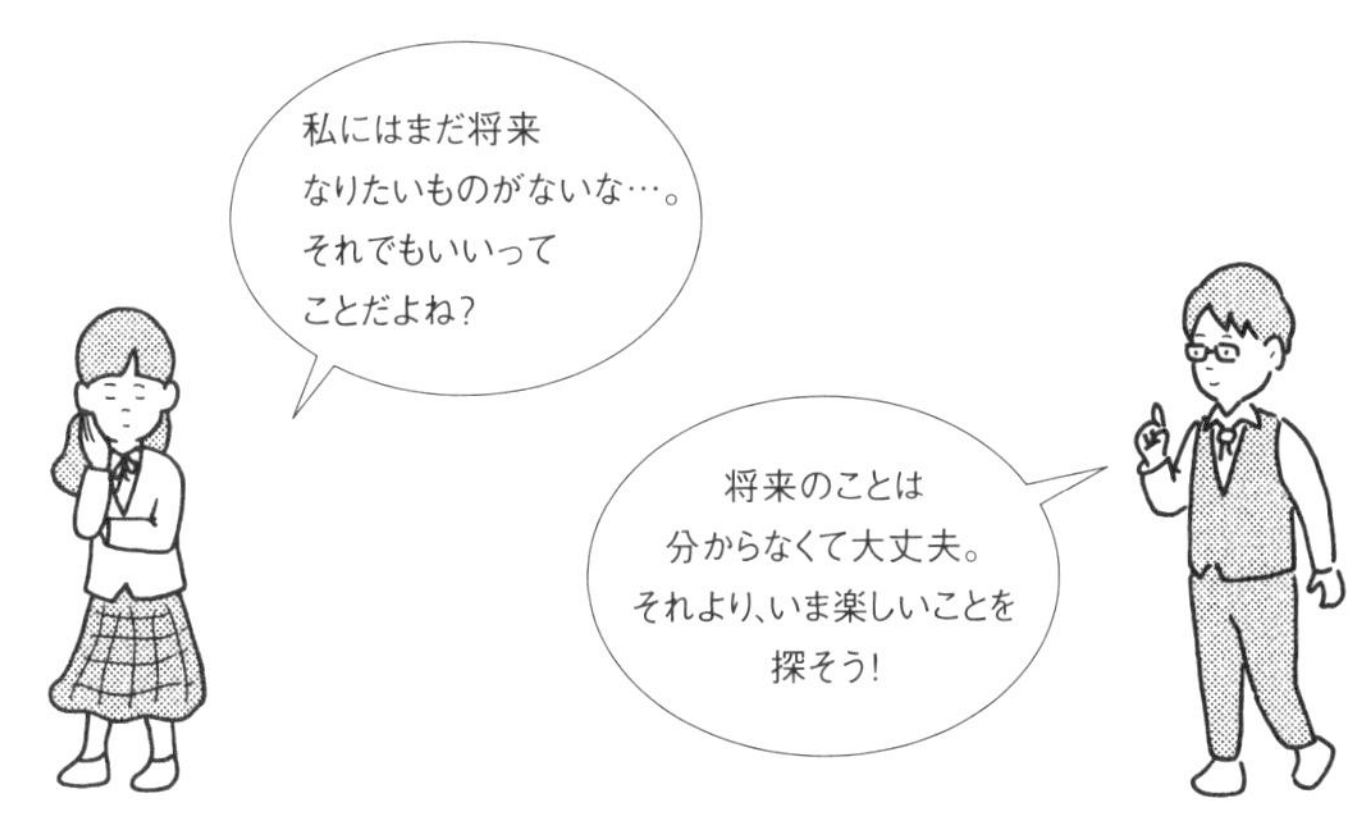

私にはまだ将来
なりたいものがないな…。
それでもいいって
ことだよね?
将来のことは
分からなくて大丈夫。
それより、いま楽しいことを
探そう!

や想像もしていない未来が待っているかもしれない。

分かっていることは、いまあなたが想像した将来とは確実に違うということです。だから、想像も変わってい い。ゆれながらも想像し続ける経験が、ぼくたちを強くしてくれます。

まだ〈ない〉ことは、ときにすでに〈ある〉ことよりも価値があります。そして何より、まだ〈ない〉未来が訪れることに、理由も[21]意味もあるはずなのです。

第二章

ちゃんと考えるために

論　理　を　め　ぐ　る　冒　険

正しく考える第一歩は、論理的であること。
筋道を立てて考える練習は、
スマートなコミュニケーションだけでなく、
将来や未来を想像したり設計したりする力になるのです。

原子の不可分性

まったく同じものは存在するか？

この世界に、まったく同じものは存在する[16]でしょうか？　中学生のころ、同級生にそんな問いを出されたことがあります。ぼくは「まったく同じものなんてあるはずがない」と答えたのですが、その場にいたぼく以外の全員が「同じものはある」と言うんですね。**原子**[35]と原子はまったく同じだというんです。

ぼくは、人間がまだ発見していないような違いがあるはずだし、そもそも同じ原子は重なって存在できないはずだから位置情報は違うというようなことを主張しましたが、「物理の教科書をちゃんと勉強しないからだ」と言われてしまい、結局議論は平行線（というか、ぼくが一方的に間違っているということ）で終わってしまいま

35 原子　アトム（原子）の語源アトモスはギリシア語で「分割できない」という意味。そのため、自然界の物質を構成する基本単位とされてきたが、現在では素粒子（クォーク・陽子・中性子・電子・フォトン・ニュートリノなど）が最小単位である。素粒子の複合体である原子核を野球のボール（直径約七センチ）とすれば、原子は野球場全体が入るほどの大きさ（直径約七百メートル）になる。

した。
このときの気持ちはずっとモヤモヤと残っていて、それはたくさんの本を読む一つのきっかけになりました。いま思えばとても生意気ですが、ぼくは自分の考えは間違っていないという直観がありました。でも、ちゃんと説明ができず、共感してもらえなかったわけです。

たしかに多くの本に原子と原子は同じだと書いてあります。変な話ですが、ぼくもそのほうが分かりやすいことが多いなと思います。でも、同じじゃないとも思っている。完全に矛盾（むじゅん）しています。
中国の古典[15—36]『**韓非子**』にある、楚の国の武器商人が「この矛はどんな盾でも貫き、この盾はどんな矛をも通さない！」と宣伝したところ、「では、その矛でその盾を突いたらどうなるのか？」と問われて答えられなかったという故事が「矛盾」の語源です。矛盾とは、つじつまが

36 韓非子（かんぴし）［?～前233頃］賞と罰を巧みに使い、法（客観的な決まり）と術（主観を隠し持つこと）と勢（武力による統制）による法治主義を説いた中国、春秋戦国時代の思想家とその著作。祖国の韓では認められず、書いた本が秦の始皇帝の目

合わないこと、筋が通らないこと、[9]論理的にあってはならないことです。

では、「同じであるけれど同じではない」をつじつまを合わせて論理的に説明することはできるでしょうか？

「万物の根源は原子である」という原子論を唱えた古代ギリシアの[37]**デモクリトス**は、同じような矛盾に立ち向かった哲学者でした。

次の図を見てください。

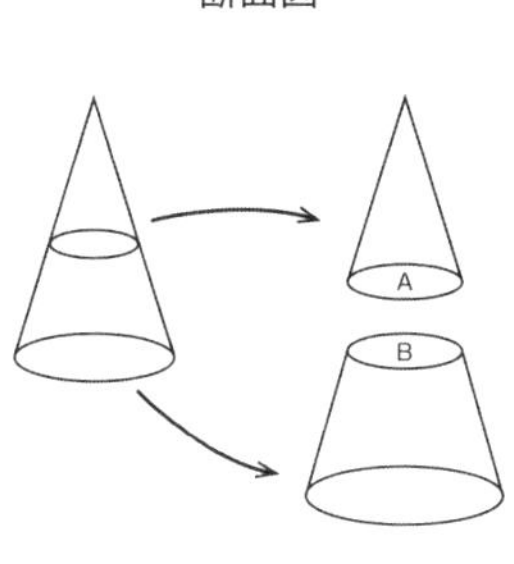

に留まり、「この人と交際できれば死んでも思い残すことはない」とまで言わしめて招かれたが、同じく性悪説を唱えた思想家荀子（じゅんし）に学び、先に始皇帝に仕えていた李斯（りし）にねたまれて投獄され毒殺されたという。

37 デモクリトス［前460頃〜前370頃］古代ギリシアの哲学者。あらゆるものは分割不可能で消滅しない「原子（アトム）」とそれが運動する場所である「空虚（ケノン）」からなっていて、原子同士の結合と分離によって生成と変化と消滅が起こると説いた。幅広い学問に通じて「ソフィア（知恵）」というあだ名で呼

図のように円すいを半分に切ったとき、断面Aと断面Bの面積は同じでしょうか？　それとも違うでしょうか？　この問いもいままでたくさんの人と考えてきましたが、「同じ」という意見と「違う」という意見はだいたい半々くらいです。

同じ派の意見は「断面なんだから面積は同じ」というもので、違う派は「まったく同じなら円柱になるはずで、ほんのわずかでも上が小さいはず」というものや、「刃物には厚さがあり、切った際に必ずすこし削れるはずだから上のほうが小さい」という意見が多いのですが、どうですか？

どちらの意見も納得がいくものですよね。議論してもらうと、やっぱり平行線になってしまいます。

この問題には、簡単な解決方法があります。それは、論理的に考えたり意見を伝えたりするために最も重要な

ばれていたが、その著作は断片しか残っていない。また「笑う人」というあだ名もあり、明るくポジティブな人だったという説と、空虚な行動をする人々をあざ笑っていたという説があるが、ソクラテス同様に「プシュケー（魂）」を大事にし、明るく元気な性質こそ人間の幸福である、と言っていたのでおそらく前者だろう。

ぼくたちも原子まで分割すれば約97%が酸素・炭素・水素・窒素なんだけど、それらを含め20から36種の元素が絶妙に組み合わさることで人間になっているんだ。ちなみに生物学者ベルタランフィは、生物をバラバラにしても生き返らないんだから、全体は部分の総和以上のものだと考えたよ。

ことなのですが、「前提を共有する」ということです。つまり、「数学的には同じだけれど、物理的には違う」、あるいは「理論的には同じだけれど、[31]現実的には違う」と言えばよいいんです。

人は論理的に感じるかどうかで正しさを判断しがちなのですが、そのときに前提を伝え忘れることが多いんです。だから中学生のぼくも原子同士は「物質的には同じだけれど、空間的には違う」というふうに言えばよかったんですね。

もう一つ例を挙げます。ぼくが小学生のときにどうしても納得がいかなかったことに、こんな問題があります。三分の一を小数に直すと、〇・三三三……と永遠に続きます。では両方に三をかけるとどうなるでしょうか？　一と〇・九九九……になります。

この二つを同じといってよいでしょうか？　ぼくはこ

数学的には無限大にいくつを足しても掛けても
無限大になることになっているよ。整数の数と偶数の数と
素数の数も同じ無限大ということになる。
ちなみに1を無限で割ると「事実上」0になるとされているよ。
あらゆる数を0で割ることができないのも
数学を成り立たせるためのルールの一つなんだ。

れが気持ち悪くてしばらく算数嫌いになってしまったのですが、数学的にはこれを同じということにしないと成り立たないんです。

線や断面には、幅や厚さがないものとする、というのも数学的に考えるための抽象化[82]の一つといえます。メリットがあるのでそういうことにしようという前提なんですね。

それぞれの立場や前提の違いを分かり合えば、正反対の意見を持っていてもケンカにならず、平和共存[54]への道が開けるのではないでしょうか。

前提を共有すれば
説得力が増すし、
たとえ意見に違いが生まれても
理解や共感できる可能性を
広げることができるはずだよ。

『おじいさんの斧』と『テセウスの船』

本質が宿るのは物質か精神か？

プラスチック製品の再利用方法として検討されているアイデアのなかには、食品に加工するというものがあります。科学的[66]には安全だし栄養もあるといいますが、あなたはどう感じますか？

科学的に問題ないなら大丈夫、という意見もありますし、科学的かどうかに関係[25]なく受け入れられない、という意見もあるでしょう。

たとえ意見の前提が感情的であっても論理[9]的で意味[21]が分かれば共感する人は多いと思います。一方で、意味は分かるけれど割り切れない、モヤモヤする、なんとなく共感できないなんてこともあります。ここでぼくたちの判断の根拠になっているのが第一章でお話しした真善美[33]

科学的に問題がないと言われても、
添加物や昆虫食に抵抗がある人もいるし、
たとえ安全でもガラス張りの床が怖い人もいるよね。
一方で、プルプルのコラーゲンを摂取すれば
肌がプルプルになると言われると、科学的根拠が
なくてもそんな気がしてしまうね。

です。相手の主張を論理的に理解して、はじめて自分の価値観[32]に向き合えるんですね。

では、自分の価値観を意識しつつ、もうすこし「同じ」ということについて考えてみたいと思います。

大工の一家のお話です。おじいさんが大事に使っていた斧をお父さんが受け継ぎました。斧は刃と柄からできていますが、欠けた刃を研いでいるうちに小さくなってしまったので、新しいものととりかえました。それを受け継いだ息子は、柄の部分が壊れてしまったので新しいものととりかえました。さて、この斧は「おじいさんの斧」といえるでしょうか？

気がついたかもしれませんが、これは『転送装置』に似た思考実験です。前提を明確にすると、「精神的には同じだけれど、物質的には違う」といえそうです。

ここまでは論理的に伝えることができますが、それを

38 主観／客観 主観とは、ものごとに対する自分の意識、自分だけの個人的な考えのこと。人間は自分の意識以外を直接知ることはできない。だから言葉や身振り手振りをはじめ、あいだにさまざまなメディアを介して情報を手に入れて、そこから推測するしかない。それでも分かり合う感覚を共有できることがあるのは希望でありロマンである。客観とは、主観から独立して

「おじいさんの斧」と認識するかどうかは、その人の価値観や考え方次第です。十人十色それぞれが真実です。つまり、そこにあなたの〈自分軸〉が現れているというわけです。

さて、〈事実〉と〈真実〉はどう違うのでしょうか？

〈事実〉とは実際に起こったことを指します。〈真実〉は嘘(うそ)いつわりがなく本当のことです。似ていますが、〈事実〉のほうがより**客観**[38]的で、〈真実〉のほうがより**主観**[38]的です。

嘘いつわりなく「おじいさんの斧である」と信じているなら、その人にとってはそれが〈真実〉ということになりますが、〈事実〉とはいえません。もちろん「おじいさんの斧とはいえない」という主張もその人にとっての〈真実〉であり、〈事実〉かどうかは判断できません。

一方で前提を提示した「精神的には同じだけれど、物

存在する認識や行動の対象となるもの、またあるできごとにおける当事者ではなく第三者のこと。認識した時点でそれは認識した人の主観になってしまうため、純粋な客観を知ることはできない。あくまで「客観的」な主観である。つまり客観とは幻想であり、想像の域を超えない。

39 テセウス　ギリシア神話の勇者。クレタ王が海神ポセイドンを怒らせたため、呪いで牛と結婚させられた王妃から生まれた人食いの牛頭人身怪物ミノタウロスは、クレタ島の迷宮にかくまわれ、アテネから送られる生け贄を食べて暮らしていた。生け贄(いけにえ)に紛れて討伐にやってきた勇者テセウスに一目惚(ぼ)れしたクレタ王の娘アリアドネは、テセウスの迷宮攻略を助けるために赤い糸玉

質的には違う」という説明は客観的な〈事実〉だといえます。ここを分けて考えられるかどうかが、論理的に考える際の鍵になります。

では、ちょっとだけ視点を変えて考える練習をしてみましょう。ギリシア神話の英雄**テセウス**[39]がクレタ島でミノタウロスを倒してアテネに乗って帰った船は、「テセウスの船」と呼ばれて大切に保管されていました。しかし、時が経つにつれ木の部品が腐ってきたので、そのつど新しい木材に交換され続け、ついにすべての部品が新しくなりました。そのとき、ある人が言いました。「これは伝説のテセウスの船ではない！　別の船だ！」その意見に賛同した職人たちは、保管してあった元の木材の使える部分をつなぎ合わせて、ボロボロの船をつくりました。さて、こうして二隻になってしまった「テセウスの船」、いったいどちらが〝本物〟だといえるでしょうか？

と短剣を渡した。糸をたらしながら迷宮へ乗り込み死闘の末ミノタウロスを倒したテセウスは糸をたどって迷宮からの脱出に成功。追ってきたクレタ王の艦隊の船底に穴をあけて壊滅させるとアリアドネと駆け落ちをする。しかし、途中なぜかアリアドネを置いてアテネに帰ってしまう。そのときに乗って帰った船がテセウスの船。どこが勇者なのか意味が分からないが、人知がおよばない存在が神であり、神話であるともいえる。ちなみに無事に帰るときには白い帆を上げておくように言われたのを忘れて黒い帆のまま帰国してしまい、テセウスが死んだと思った父アイゲウス（エーゲウス）は悲しみのあまり海に身を投げてしまったというのがエーゲ海の由来。

「進化」と「平和」の対義語

その「対義語」は本当か？

同じ[21]意味の言葉を「同義語」、反対の意味の言葉を「対義語」といいます。ものごとを比べたり、選択したり、その判断を誰かに説得力を持って伝えるためには〈軸〉が必要です。「寒い」の対義語は「暑い」で、そのふたつの状態をつないだものが軸になります。〈軸〉の[62]イメージが共有できれば格段に伝わりやすくなります。

一方で「お金か友情か？」みたいな問いは、あまり意味を成しません。同軸上に乗せられるようなものではないからです。「私と仕事、どっちが大事なの？」とか「芸術と地球環境と、どちらを保護すべきか？」のような問いも軸がないうえに[82]抽象度もそろっていないので、ナンセンスです。お金がないと生活できないけれど、友情は

この部屋暑いから、
エアコンを入れて
涼しくして欲しいな。

私はちょうどいい感じだから、
1℃くらい下げましょうか。

意味が伝わったとしても、
共感してもらえるかは分からない。
でも軸が共有できればあいだを
とったり調整できるんだ。

なくてもなんとかなる、といわれてもモヤモヤするのは軸がイメージできず論理[9]的に判断できないからなんです。共有しやすい軸を設定するためには、対義語が有効です。

では、「進化」の対義語は何でしょうか？　どの世代に質問しても「退化」という回答が大半です。本当にそうでしょうか。まず、前提から確認していきたいと思います。

「進化」はもともと生物学の用語で、生物が環境に合わせて望ましい状態に変化していくことを指します。たとえば、地殻変動で深海に移り棲（す）んだ生物が、光が届かないために目の機能を維持するとエネルギーのムダが多いので目が「退化」したとします。でも、それって環境に適応した結果ですから「進化」ですよね。より望ましい状態へ変化したわけです。

つまり「退化」は、「進化」の一種なんです。だとす

北極に移り住んだシロクマは、
茶色のままだと目立って獲物が逃げちゃうから
「退化」して白くなったんだ。退化したほうが
逆に効率よく生きていけるということだね。
じゃあ、パンダが白黒なのは
退化からの進化ってこと?

ると、「進化」の本来の対義語はなんでしょうか？　考えられるのは「停滞」や「不変」「不易」などです。環境が変化しているのに、適応しない、変化しない、そういう状態を指す言葉のほうがしっくりきます。

ではなぜ、ぼくたちは瞬発的に「退化」だと思ってしまったのでしょうか？

そこには、ぼくたちの自由[0]な思考を邪魔しているあるものが関係[25]しています。その代表が教科書です。国語の教科書や資料集などで、「進化」の対義語は「退化」だと習っているんですね。

しかし、そもそも「進化」というのは**ダーウィン**[40]の『進化論』が日本に紹介された際につくられた生物学の造語です。それを、なぜか国語という教科のなかで、深く考えずに覚え込んでしまっているのです。国語のテストで「進化」の対義語を「停滞」と解答すればバツになって

40 チャールズ・ダーウィン［1809〜1882］自然淘汰（とうた）による進化論を説き、分類学に多大な影響を与えたイギリスの博物学者。医者である父親からは

しまいます。学校の影響力というのは案外大きいもので、この問いを理科を教えている先生にしてみても、「退化」と答える人が多いのです。

では、改めて前提を整理して「進化」の対義語を考えると、「国語においては退化で、生物学においては停滞や不変」ということになります。前提が変われば当然、答えも変わる可能性があるわけです。そういう視点を持っておくことも、さまざまな分野をつなげて学ぶリベラルアーツの基礎だといえます。

もうすこし考えてみましょう。「平和」の対義語はなんでしょうか？

国語の教科書的には「戦争」です。でも「平和」はもっと広い、社会的なテーマですね。世界平和を目指す最も大きな組織の一つ国際連合は、「戦争」「紛争」はもちろん、「貧困」や「格差」、「差別」や「植民地」をなく

落ちこぼれと言われ、成績が良くなかったため退学させられた。医師の見習いもさせられたが血を見るのが苦手で医学にはまったく興味を持たなかった。大人になってからも病気がちでプレッシャーに弱く、20分以上集中することができなかったという。「ビーグル号」に乗船して旅をしたあとは引きこもり生活をしていたダーウィンだったが、娘は「父は話をよく聞いてくれて、一緒にといるとワクワクした」と回想している。ちなみに、すべての生物は全能の神の創造物であるという立場だった英国国教会は2008年に当時ダーウィンに対して不当な対応をしたと約150年の時を経て謝罪した。

すことを[55]目的としています。

つまり、それらはすべて「平和」の対義語だといえそうです。もちろん、もっと身の回りに目を向けて、「いじめ」や「虐待」、「犯罪」や「事故」などもそうですね。戦後、日本国憲法やいまの教科書のもとができたころには、誰もが「戦争」状態でないことこそが「平和」だ、という感覚だったことは想像できますが、時代によっても対義語は変わっていく可能性があります。

文化人類学者[41]**レヴィ=ストロース**は、〝人間は常に二項対立を使って思考する〟と言っています。

つまり、ぼくたちがものごとを考えるときには、対義語のような対立する概念を軸にしているというんですね。対義語は、[21]意味の全体が正反対になっているように見えるのですが、じつは意味のほとんどは同じで、ある部分だけが反対になっています。反対の意味ではなく、同じ

41 レヴィ=ストロース ［1908〜2009］ フランスの文化人類学者。社会は、要素と要素の関係からなっていて、自然に根ざした「パターン」があるという構造主義を説いた。レヴィ=ストロースは主著『野生の思考』のなかで「あり合わせの道具や材料で誤魔化(ごまか)す」という意味を持つフランス語「ブリ

意味のある部分が反対なんです。だから軸にできる。

たとえば、「太い」「細い」という対義語は、両方とも線の幅や棒状のものの断面積について表す言葉です。「進化」「退化」「停滞」も生物の環境による変化について、「平和」「戦争」「貧困」「差別」も世の中の状態について考えるための軸だといえます。

ここで大事なのは、軸の両端はなだらかにつながっているということです。ものごとにはたいてい〈あいだ〉があります。戦争でなければ平和だということではありません。どのような前提と条件のときに、どんな軸で考えると、どのような状態か、というふうに分析することで、理解したり、記述したり、誰かに伝えやすくなったりするわけです。

コルール（bricoler）」から「持ち合わせの物で現状を切り抜けること」という意味の「BRICOLAGE（ブリコラージュ）」という概念を提示した。ちなみに、どちらも日本語には適切な翻訳語が存在しないことから、近現代の日本では、あるものを使って臨機応変に対処する抽象力が重要視されていなかったことがうかがえる。また、言葉がなかったから抽象の力に注目しにくかったのではないかとも考えられる。

軸になっていれば、
あいだがあるはず。
青と黄色のあいだは緑。
では、戦争と平和の
あいだはなんだろう？

砂は何粒あつまれば砂山になるのか？

軸であれば〈あいだ〉があります。たとえば1気圧の場所では、水は0℃と100℃をつなぐ軸の〈あいだ〉で存在しています。ですから、14℃だったり、11・15℃だったり、数字で表すことができます。数字は同軸上でのイメージ[62]を明確に共有できるので便利なんですね。

では、境界線を数字ではなく言葉で表す場合を考えてみましょう。

砂山から一粒ずつ砂を取り去っていくと、いずれ一粒の砂になります。この一粒の砂は砂山といえるでしょうか？　二粒ではどうでしょうか？　それでは砂山とはいえない、「砂粒」だという意見が多いと思います。では、

雨と晴れのあいだって
どうなっているんだろう？
お天気雨や夕立に遭ったら
高速移動してみよう！
境界を感じられるかも。
境界に立ってみたら
面白そう！

いつを境に「砂山」から「砂」になったのでしょうか？

ぼくたちが感じている境界は曖昧(あいまい)で幅があります。対義語の二項対立と同じで、〈あいだ〉はなだらかにつながっています。どの瞬間から「平和」になるのかは決まっていません。ということは、決めることで明確な境界線を引くこともできます。

たとえば、紙と本の境界線はどこでしょうか？　何ページあったら本と呼べるのでしょうか？

じつはこれ、一九六四年の[42]**ユネスコ**総会で「本とは、表紙はページ数に入れず、本文が少なくとも四九ページ以上から成る、印刷された非定期刊行物」という定義が採択されています。ちなみに、五ページ以上四九ページ未満は小冊子という[43]**分類**になっています。別に四ページの本があったっていいじゃないか、と感じる人もいると思います。たしかに個人としては自由なのですが、仲間

42 ユネスコ　国連教育科学文化機関のこと。目的は「教育、科学及び文化を通じて諸国民の間の協力を促進することによって、平和及び安全に貢献すること」としている。ちなみに、日本はソ連が拒否権を発動していたため国連に加盟できていない状態の1951年にユネスコに加盟し、戦後の国際社会復帰への足がかりとした。2018年にアメリカが脱退している。

内や取引のあるグループ同士では基準やルール[97]を決めておいたほうが便利な場合もあります。その代表的なものが法律です。

ぼくたちはいつから大人になるのでしょうか？「常識が身についたら」「自立したら」などは曖昧で人によって基準が変わりそうです。「職に就いたら」「結婚したら」などともいわれますが、仕事を辞めたり、離婚した場合は子どもに戻ってしまうのでしょうか。色々な意見があると思いますが、同じ国で生活していると明確な基準がないと不便です。

そこで「満◯◯歳になったら成人」と法律で決めているわけです。つまり、明確な境界線は人間が決めているということです。

自然界についても、例外ではありません。生物の分類

43 分類　似たものをまとめて種類分けすること。共通性にしたがって体系化する西洋的な分類の基礎を作ったのはアリストテレスだとされる。日本語においてもそうだが、「分かること」と「分けること」は同じである。プラトンの弟子クセノクラテスが学問を「論理学」「自然学」「倫理学」の三つに分け、その後、ローマで「文法」「論理学」「修辞学」「幾何学」「算学」「天文学」「音楽」「医学」「建築学」の九学科に分かれた。つまりリベラルアーツは専門的な実践経験をとくに重視する「医学」と「建築学」をのぞくすべての学問という意味合いがあった。

を決めているのは人間ですし、数量で表せないものごとも含め、あらゆる境界線を設定しようとしています。たとえば、虹は何色でしょうか？　これはいくつの色を認識できるかということですが、文化や個人によって差があります。

じつは虹が七色だと規定したのはニュートン[4]です。それまで、ヨーロッパでは、三色（赤、緑、青）や、五色（赤、黄、緑、青、紫）とされることが多く、アジアでは二色や三色という民族もいます。八色以上だという地域もあります。虹は人間の目に見える光の帯域です。赤より波長が長い赤外線や電波と、紫よりも波長が短い紫外線やX線は目に見えません。目に見える赤から紫までも波長によってすこしずつなだらかに色が変化していきます。だから、虹を見て二五六色だと言っても、一六七七万色だと言ってもまちがいではありません。見る人が

見えている色は無限にあって、そのうえ人間には
見えていない色もあるんだ。爬虫類や鳥類は紫外線も見えるから、
もっと複雑な色を感じることができると考えられているよ。
ちなみに多くの昆虫類も紫外線が見えるけれど、
アリとカマキリは色覚がないんだ。

どこに境界を感じるかによるのです。

また、水と湯の境界線はどこでしょうか？　これも温度が関係[25]ありそうだということはすぐにピンときますが、明確な規準はありませんね。同じ温度でも冷たいと感じる人もぬるいと感じる人もいるでしょう。体温や外気の温度も影響しそうです。ちなみに、「湯」にあたる英語は「hot water」、つまり「熱い水」です。フランス語でもスペイン語でも「熱い水」。中国でも現在では「熱水（レイシュイ）」といい、「湯」は「スープ」というまったく別の意味[21]になります。多くの国で温度の違いのみに注目して呼ばれているのが分かります。ではなぜ、日本だけが「湯」という別の言葉なのでしょうか？

おそらく、日本の場合、温度以外にも違いを感じる文化があったのだと考えられます。

0℃の水を100℃にするためには
約100カロリーのエネルギーが必要なんだけど、
100℃のお湯を100℃の水蒸気にするためには
約540カロリーの「蒸発熱」が必要で、
体積は1600倍にもなるよ。

もともと日本語の「ゆ」という音は、ゆらめく・ゆっくり・ゆったりを表す音です。ゆったりゆらめいているものに明確な基準や境界線があったら台無しです。でも「ゆ」に限らず、どんな二項対立の〈あいだ〉も実際はゆらめいていて、人間が勝手に境界線を引いているだけなのです。

境界線を引けば、内と外に分かれ、対立構造が生じます。極端な意見は目立ちますし分かりやすいですが、賛否が分かれたときに争いになります。争いを止める方法は、決着をつけることだけではありません。日本には「和」という文化があります。なじませて、引かれた境界線を消していって、一つにしてしまう。分けずに混ぜる。そうすると、調和がとれて穏やかになるわけです。

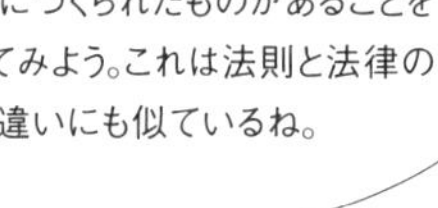

宇宙飛行士の毛利衛（もうりまもる）さんは
「宇宙からは 国境線は見えなかった」と
言ったよ。境界線には自然にできたものと
人為的につくられたものがあることを
意識してみよう。これは法則と法律の
違いにも似ているね。

時間は無限に分割できるか？

論理的[9]であることは重要ですが、論理だって万能ではありません。成り立っていると思っても前提や条件に見落としがあったり、考え方が飛躍していたりします。だいたい、ぼくたち自身、たくさんの矛盾(むじゅん)を抱えながら生きています。たとえ論理というものが完璧だったとしても、使っているぼくらが不完全なのですから、過信しないことも重要です。

有名な思考実験に『**アキレス**[44]と亀』というものがあります。俊足で有名だったギリシア神話の英雄アキレスと亀が競争することになりました。ただし、亀はハンデとしてすこし先からスタートします。

44 アキレス　盲目の詩人ホメロスの叙事詩『イリアス』の主人公でギリシア神話の英雄。母が彼を不死身にするために体を冥界(めいかい)の川にひたしたが、そのときつかんでいた〝かかと〟だけ水につからず生身のまま残ってしまった。唯一の弱点となった〝かかと〟の部分を「アキレス腱」という。アキレスが闘ったというトロヤ戦争は近代において虚構と思われていたが、ホメロスの物語にロマンを感じ、トロヤ遺跡の存在を信じた考古学者シュリーマンによって証拠が発見された。フロイトは、シュリーマンこそもっともうらやむべき人生を送った人間だと称した。

この勝負について哲学者**ゼノン**[45]はこう主張しました。「アキレスは亀に追いつけないよ。なぜなら、アキレスが亀のスタート地点に到着したときには、亀はすこし進んでA地点にいる。アキレスがA地点に到着したときには、亀はまたすこし進んでB地点にいる。これが繰り返されるから、永遠にアキレスは追いつけないのだ」というわけです。

さて、ゼノンの主張はどこがおかしいのでしょうか？

ゼノンは、無限に境界線を引いて距離と時間を分割できると考えています。しかし、実際は距離も時間も有限です。しかも時間は流れていますから、無限に分割し続けることはできないんです。制限時間がある。アキレスが亀に追いつくまではゼノンの言うとおりなのですが、必ず追いつくんですね。人間は明確に〈分かる〉ために境界線を引いて〈分ける〉のですが、やりすぎは逆効果、

45ゼノン［前490頃〜前430頃］師匠である哲学者パルメニデスの「存在するものは不変不同で不可分である」という説を弁護するために、前提から矛盾した結論を引き出す「弁証論」を発見した。進んでいるのに進んでいない『アキレスと亀』や、飛んでいる矢は瞬間ごとに区切れば止まっているのだから、実は飛んでいないという『飛ぶ矢』に代表される「ゼノンの逆説（パラドクス）」を提出し、無限と連続、空間と時間に関する哲学に影響を与えた。ちなみにゼノンという名のギリシア哲学者は多く、区別するためにエレアのゼノンと呼ばれる。

過ぎたるは猶及(なおおよ)ばざるが如(ごと)し、というわけです。

ぼくたちはよく議論や討論をしますが、どちらが正しいかを判断する前に、ちゃんと同軸上での対比になっているのか、そもそも本当に対立しているのかを確認する必要があります。

そして、もしそれが正当な議論なのであれば、意見が割れている時点で、どちらの意見にもそれぞれにとっての道理や利益があるはずです。ならば片方の意見だけを採用することが〝正解〟であるはずはありません。

西洋哲学では、対立する二つの意見をより高い次元[10]で統合し調和させる方法が模索されてきました。反対意見や否定された意見を切り捨てずにいったん置いておいて、それらを活かすための新たな視点や秩序を考えていくんですね。

46 ソクラテス 〔前470頃～前399〕古代ギリシアの哲学者。魂を大切に生きることをめざし、また本当に大切なものは何かを問い続け、街頭や体育場での哲学対話や問答を繰り返して、人間は無知であるという自覚をうながした。知者を自称するソフィストを無知であるとしたため、ねたまれて告発され、毒杯をあおることになったと考えられる。ソクラテス本人が書物を書かなかったため、一番弟子だったプラトンをはじめソクラテス以外の人物がソクラテスについて書き残しているが、誰の記述をどこまで信じればよいかの判断が難しく、これを「ソクラテス問題」という。

この方法は「弁証法（べんしょうほう）」といって、46ソクラテスの問答法から発展した伝統的リベラルアーツの一つです。

たとえば、一時間遊びたいという子どもと、一時間勉強しなさいという親の意見が対立していたとします。どちらの意見も切り捨てないためにはどうしたらいいでしょうか？　三〇分ずつにするというものや、もう一時間捻出してどちらもかなえるというのは弁証法的な解決とはいえません。勉強になる遊びを一時間する、というのが弁証法的なアイデアです。

47孔子も23アリストテレスも〈中庸（ちゅうよう）〉を大事にしました。議論や討論に限らず、すべてにおいて極端にかたよるのはよくないというんですね。〈中庸〉を目指したりバランスを取ったり、矛盾を乗り越えるためには、両極を認識する必要があります。先の例なら、勉強と遊びの両方についてよく知る必要があるわけです。

47 孔子（こうし）　［前551頃〜前479］中国の思想家。神は尊敬したほうがいいが、人知のおよばぬ存在なのだから関わらないでおくべきだとし、人間は神の意志ではなく、自らの良心に従って行動すべきだと説いた。また、最も大事なことは「仁」であるとしたが、その意味は、人を愛すること、思いやること、人間という存在を成り立たせている秩序のことなど多様な解釈がある。弟子になぜ政治家にならないのかと問われた際には、親孝行や兄弟と仲良くすることも政治であると答えたという。孔子は自らが執筆することはなく、また聖人と呼ばれることを嫌ったが、死後弟子たちにより言行録である『論語』が書かれ、聖人と呼ばれた。

自由意志とランダムの生成

ぼくたちは無作為に動けるか？

「自然」の対義語は、「人工」や「人為」とされています。どちらも人間の作為があるということです。作為というのは、偶然ではないこと。偶然は自然で無作為な状態で、ランダムともいいます。次に紹介するのは、確率[48]や法則について考える土台をつくるために、ぼくがよく授業でやってもらっている「ランダム（無作為）」というものを実感するためのワークです。

紙やこの本の余白部分に「0」か「1」を百個書いてください。順番もどちらを何個ずつ書くかも適当で構いません。なるべく何も考えずに思考を停止して手を動かしてみてください。

48 確率　あることが起こる可能性の度合い。基本的には偶然に支配されているようなできごとのなかで、その起こりやすさを数値化したもの。たとえばコイン投げのように、結果のパターンが表か裏かのどちらかだとすると、「50％」のように百分率で表す方法、「2分の1」のように分数で表す方法、「0・5」のように起こらない状態を0、確実に起こる状態を1としてそのあいだの小数で表す方法がある。コインが立つ場合を想像した人はとても現実的で科学的だといえるが、数学の場合とりあえずそのような例外はないものとすることでシンプルで普遍的に考えることができる。

どうですか、なるべく「ランダム」になるように意識が働いてしまったのではないでしょうか？　つまり、数字が連続しないように動いてしまった。無意識[58]になろうとすると逆に意識してしまうのはぼくたちの性質の一つです。

「シロクマ効果」といって、シロクマについて考えてはいけない、と思考を抑制されたほうが、シロクマについて考えてしまうという皮肉な性質です。

つまり、ぼくたちは無作為に動くことはできないんですね。先ほど書いた一〇〇個の「0」と「1」のなかから、最も連続している部分を探してみてください。それほど連続したものはなかったのではないでしょうか？　そこに、ぼくたちの限界を垣間(かいま)見ることができます。

ではランダムをつくり出すためにはどうしたらいいで

「コップを絶対に落としてはいけない」と指示すると逆に落としてしまう人が増えるという実験もあるよ。
言われると意識して緊張しちゃうよね。
禁止されるとやりたくなることは結構あるなあ。

しょうか？　すこし時間がかかりますが、コインを投げて表が出たら「0」裏が出たら「1」と書いていくとか、サイコロを振って偶数なら「0」奇数なら「1」など自分でルール[97]をつくれば、意思や感情を交えず、ランダムにできそうです（時間があればやってみてください。連続する数字の出現率を体感できると思います）。ジョン・ケージ[19]が作曲にサイコロを使ったのも、自分ひとりの力で意思や感情から自由[0]になることはできなかったからなんですね。

規則性や法則を見つけることは簡単ではありませんが、ランダムをつくることも難しい。素数（その数と一でしか割れない数字）の出方はランダムで予測はできないといわれていますが、〈絶対〉にランダムであるなら、もはやそれは〈法則〉です。ランダムなら絶対なんてことはありえないはずです。

コンピューターは人間よりもランダムが苦手。
いまのところプログラムで予測や再現が
不可能な完全なランダムをつくり出すことはできないんだ。
ランダムに見えるような「疑似乱数」を
数式で出しているんだよ。

ところで、メールの文章や写真など、現在ぼくたちがデジタルでやりとりしている情報は、すべて「0」と「1」の羅列に変換されて保存や送信されています。ですから、もしも「0」と「1」のランダムな羅列が偶然メッセージや画像として読み取れる並びになったなら、たとえそういう意図がなくとも、ぼくたちにとっての〈意味〉[21]に変換できてしまいます。宇宙が無限なら、ランダムな羅列も無限に存在[16]しますから、そんな奇跡[49]が起こる可能性だって十分あるはずなんです。

ちなみに「デジタル」の語源はラテン語の「指」です。人間は二足歩行になって両手が自由になったため、指を折り曲げて数を数えられるようになりました。指で数えるというと一から一〇までと思われがちですが、一本の指につき、指を折った状態（0）と伸ばした状態（1）の二パターンがあり、それが一〇本あるので、二の一〇乗、一〇二四まで数えられることができます。

8世紀イギリスの神学者ベーダは、
指で100万まで数えられたというよ。
中国ではなんと10億の単位まで
指で数える方法があったという話も。
いったい、どうやったと思う？
指の関節は
一つじゃないから、
曲げ方で数が
変わるとかかな？
指の横や裏側を
使ったりするのは
ありかな？

確率はどうやって決まるのか？

ぼくたちはよく予測をしながら生きています。今日は宿題が出そうだな、とか、なんだか雨が降りそうだな、とか。どうして予測できるかというと、関係[25]がありそうな情報や過去の経験を活用しているんですね。まったくの偶然では予測しようがありませんが、なにか情報があれば、それを手がかりに無意識[58]に確率[48]を計算しているんです。

では、次の問いを考えてみてください。

目の前でコインを投げている人がいます。見ていると、なんと九回連続で表がでました。そこで次に出るのが表か裏か、賭けを持ちかけられました。もちろん形状や重

勘や直観もでたらめというわけではないんだ。
自覚がなかったり、論理的には説明できないんだけれど、
潜在意識が分かったり、判断できることもある。
「いい話なのに、なんか怪しい」と感じるときとか、
へたに考えるよりも、直観に従ったほうが
いいこともあるね。

さは均一で、不正やトリックもありません。あなたなら「表」「裏」どちらに賭けますか？　それはどうしてですか？

九回も連続で「表」が出たのなら、次こそ「裏」だろうという確率重視の考えをする人と、逆にそれだけ「表」が続いたのなら次も「表」だ、というリズムや勢いを重視する人とに分かれると思います。

では、ここで前項で書いた一〇〇個の「0」と「1」のなかから、最も連続している部分を探して、何回連続したか数えてみてください。どうですか、あなたは賭けに勝てそうですか？

二回連続で「表」が出る確率は四分の一です。三回連続で「表」が出る確率は八分の一、四回連続で「表」が出る確率は一六分の一、こうやって計算していくと、九

ガチャガチャで
全６種類のおもちゃを
コンプリートするには何回くらい
引けばいいんだろう？
最初の１回は確実に
持っていないのが出るよね。
毎回確率が６分の１なら、
次に持っていないのが出る確率は６分の5、
３種類目を手に入れられる確率は
６分の4……という感じで足していくと、
14.7回引けば全部そろう計算になるね。

回連続で「表」が出る確率は五一二分の一、一〇回連続で「表」が出る確率は一〇二四分の一になります。では、もう一つ考えてみてください。次のなかで起こる確率が最も低いものはどれでしょうか？

①表・表・表・表・表・表・表・表・表・表
②表・裏・表・裏・表・裏・表・裏・表・裏
③裏・裏・裏・裏・裏・表・表・表・表・表
④裏・表・裏・表・裏・裏・表・裏・裏・裏
⑤表・裏・裏・表・表・裏・表・表・裏・裏

これ、じつはどれも同じで、一〇二四分の一の確率なんです。ぼくたちは、見た目のめずらしさで確率を見誤ってしまうことがあります。二回だけ切り取ってみてみると、「表・表」「裏・裏」の組み合わせは連続性が目につきますが、「表・裏」「裏・表」の組み合わせにな

①の確率は
すごく低そうに感じる!

見た目が極端だと
すごいと感じてしまいがち。
分かりやすいからね。

る確率も同じように四分の一です。

同じものの連続や、規則性があるなど〈意味〉[21]を感じると**奇跡**[49]的に見えてしまうんですね。意味を考えられる人間ならではの勘違いです。

一〇二四分の一というのは、一〇回を全体ととらえた場合の確率です。「いまから一〇回コインを投げます。すべて表が出る確率はどれくらいでしょうか?」ということで、最初から一〇回と限定しています。どこに境界線を引くかで、確率は変わります。「いまから一〇回連続で表が出る確率」と、何回か投げていて、たまたま「九回連続で表が出たあとで、次に表が出る確率」では何回分予測するかが違うわけです。

前者は一〇回分、後者は一回分です。だから、次だけを予測するのであれば、それまで「表」か「裏」がどれくらい出たかに関わらず（それがたとえどれだけ奇跡的

49 奇跡　超自然的で不思議な現象のこと。確率が低いと考えられること。出逢った人がたまたま同じ誕生日だったりすると運命を感じるのは、誕生日が自分と同じか違うかで考えているからで、実際は2月29日以外は、どの日に生まれる確率も大きくは変わらない。人間は「(偶然の)一致」にロマンを感じ、奇跡を見がちなのかもしれない。ちなみに、あらゆる「超常現象」は錯覚でなければ偶然である確率が最も高い。どんなに可能性が低くても、ゼロでないなら、それは起こりうる。つまり、ありえないことではないのだが、珍しいぶん目立つため勘違いしやすく重要視してしまう傾向がある。

であっても！）、次に「表」が出る確率は二分の一なんです。

別の視点から確率について考えてみます。

たとえば、隕石（いんせき）はめずらしいと感じますが、地球全体で見たらそうでもありません。でも「この場所に落ちてきた隕石です！」と言われれば、それならすごい、と感じるかもしれません。

すべての隕石には落ちた場所がありますから、確率的にすごいことはないはずなのですが、文脈一つでぼくたちの感じ方は変わってしまいます。そういうことを分かっていると、不要なものを買わされてしまったり、だまされたりしにくくなります。では、同じ場所に二度隕石が落ちたら、それは奇跡的なのでしょうか？

宝くじが二回当たったら、不正がない限り、コインの

52枚のトランプを
切った並びの種類は68桁になるよ。
世界中の人が毎日切っても、
同じ並びになる可能性はゼロに近い。
もし同じ並びが登場したら、偶然ではなく
いかさまの確率が圧倒的に高いんだ。

裏表と同様に偶然といえます。しかし、隕石が同じ場所に二度落ちたのであれば、何らかの地理的要因がある可能性があります。

31 現実世界は複雑な要因が絡み合っていますから、単純計算はできないんです。つまり、三度目が落ちてくる確率は宝くじよりかたよるはずです。そのかたよりを確率や統計を活用して分析することで、規則性や法則が見つかるかもしれません。ただその前に、どこまでが全体なのか、どんな文脈で語られているのかを確認することが必要です。

自然界では、ものごとは放っておくと
かたよりのないほうに向かうという「エントロピー増大の法則」が
あるよ。部屋がだんだん散らかっていくのも、この法則によるんだ。
自然に片付くことはない。つまり、整理されている状態のほうが
「かたよっている」んだ。

いちばんの原因はどれか？

教育界ではよく漫画やゲームの影響について問題視されます。実際、暴力的な事件を起こす少年少女の部屋から暴力的なシーンのある漫画やゲームが見つかることが多い傾向があります。

では漫画やゲームが非行の原因になっているのでしょうか？　あなたはどう思いますか？

もちろんその可能性もありますが、原因はもともと暴力的な性質だったことで、結果的にそういう漫画やゲームを好んだ可能性だってあります。タマゴが先かニワトリが先か、立証することはできません。

もう一つ例を挙げて考えてみましょう。塾に通いはじ

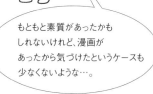

じゃあ異世界転生する
小説やアニメのブームは、
どんな影響があるだろう？

もともと素質があったかも
しれないけれど、漫画が
あったから気づけたというケースも
少なくないような…。
サッカー漫画が流行ると
サッカー部員が増えるし、
バスケ漫画が流行ると
バスケ部員が増えるよね！

めてしばらくたったあなたは、テストの成績が上がりました。いったいなぜだと考えますか？

普通に考えれば「塾の効果が出たから」とか「頑張って勉強したから」という原因を想像しがちです。では、次の話を読んでもう一度考えてみてください。

ある男が木の下で巣から落ちた鳥のヒナを拾いました。巣は木の上のほうにあって届きません。男はヒナを連れて帰って飼うことにしました。ヒナはすくすく成長[1]しましたが、男は不安になりました。親鳥が教えなければ、ヒナは飛び方が分からないのではないか。そこで男は毎日ヒナの前で両腕をバタつかせて羽ばたく真似をして見せました。三ヶ月ほど経ったある日、ついにヒナが飛び立ち、男は「ああ、毎日教えたかいがあった！」と大喜びしました。

さて、本当にその男のおかげだったのでしょうか？

もしかして、
勉強しなくても
成績は上がる？
成長期のうちは、できなかったことが
自然にできるようになることがあるから、
いまできなくても諦めないほうがいいよ。
でも、知識や経験は勝手には増えない。
だから、勉強や体験は必要なんだ。

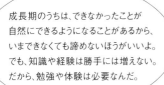

つまり、誰のおかげでもなく「自然に成長した」のかもしれないわけです。他にも「テスト自体が簡単だった」のかもしれないですし、「たまたま得意な問題が出た」のかもしれません。「いままでがミスが多かっただけ」なんてこともありえます。「家族関係[25]がよくなった」「食事が変わった」「部屋を片づけた」「メガネを替えた」なんてことが影響している可能性だって考えられます。

そもそも、この世界で起こることの原因は無数にあります。さまざまな現象が連なって、結果に続いているんです。ぼくたちは目立つ原因や、関係が強そうに見える原因だけに気を取られがちですが、原因と結果を完全に一対一で結ぶことには無理があります。だから、科学実験[66]においても、できるだけ条件をそろえる必要があるのです。

心理学者クランボルツは、
人生のターニングポイントの８割は
本人が予測していなかった
偶然のできごとによるという理論を発表したよ。
つまり、想定外のチャンスを
活かせるかどうかが鍵なんだ。

ぼくたちが因果関係を考えるとき記憶や過去を重視しすぎることに警鐘を鳴らした、哲学者[50]**バートランド・ラッセル**はこんな思考実験を考えました。

あなたは「この世界は五分前にはじまったのかもしれない」という考えを否定できますか？

五分前にはすでにこの本を読んでいたかもしれないですし、この本を最初に手にしたのはもっと前だと思います。そもそも、昨日のことも去年のことも、もっと昔の幼いころも思い出せるでしょう。

つまり、あなたにはここまで生きてきた歴史と記憶があるわけです。さらに、脈々と受け継がれてきた人類の、地球の、宇宙の歴史があります。それらを否定することは難しいですよね。

しかし、そう思ってしまうぼくたちの理性に対して、

50 バートランド・ラッセル［1872〜1970］イギリスの哲学者。アリストテレス以来、論理学の基本だった三段論法以外にも多くの推論形式やパラドックスを発見した。第一次世界大戦に反対してケンブリッジ大学から追放され、投獄されたが、1954年ビキニの水爆実験以降、核兵器廃絶運動に力を入れ、想いを共有したアインシュタインと「ラッセル＝アインシュタイン宣言」を発表。イギリスの核政策に抗議して国防省前で座り込みをして再び懲役刑を受けた。また、権力による子どもの思考への干渉からの解放を目指して、フリースクール運動を支援した。

ラッセルは問いを提示したのです。すべての歴史も記憶もつくられた状態で、古いものは古い状態で五分前に突然世界が出現したのだとしたら、そのことを否定できるか、というんですね。もしこの世界をつくった全知全能の〝神〟が存在するならば、それも可能なはずです。そのような〝神〟を信じるなら、同時に過去は信用できない可能性があることも受け入れなければなりません。神の存在に言及しなくても、『五分前仮説』[67]を論理[9]的に否定することはできません。

この問いは、「過去の存在を証明できますか？」といいかえることができます。

人間には理性がありますから、ある結果になった原因も気になります。原因を考えるということは、先に結果を認識しているということです。そして認識した「結果」から無意識[58]に逆算して、存在[16]を証明できない過去の記憶

ラッセルは、
絶対なんてことはないし、
人と比べたりうらやむことには
意味がないと繰り返し忠告したよ。
そして、興味と得意なことが幸福に
導いてくれると強調したんだ。

のなかに無数にある原因のなかから、一つを選んでしまうんです。

安易に一つの過去が原因と考えてしまうと、ぼくたちはそれにとらわれてしまいます。たとえば、過去のあるできごとのせいで不幸になったと考えると、未来への行動を制限してしまうかもしれません。しかし、過去は〈いまここ〉にはないですから、過去そのものが現在に干渉することはできません。あくまで知識や記憶としてぼくたちが結びつきを感じているだけです。

ラッセルの考えでは、過去があってもなくても、未来には関係ありません。であれば、原因として過去を採用するかどうかは選択できる。ぼくたちには、糧(かて)にできないネガティブな過去は切り捨てて、糧にできるものやポジティブな過去だけを採用して、それに〈意味〉を感じる自由があるんです。

アップル社を創業したスティーブ・ジョブズは、
点と点のつながりは予測できず、
あとで振り返ったときにつながりに気づくものだから、
いまやっていることがどこかにつながると
信じることが大事だと言ったよ。

シンギュラリティと『シミュレーション仮説』

ぼくたちは本当に存在するのか？

過去や知識は〈いまここ〉にはないので確実ではないですし、結果が出たあとで考え出した原因であれば、その因果関係[25]はあやしいかもしれません。

もちろんすべてを疑っていたら先に進めないので「よい加減」である必要がありますが、疑うこともまた理性ですし、AI[51]やコンピューターにはできないことです。

たとえば、いまここに割れた窓ガラスがあって、割れた原因を探したら、ボールが落ちているのを見つけたとします。でも、窓ガラスが割れる前からボールが落ちていたなら、そこに因果関係は成り立ちません。もちろん、窓ガラスが割れてからボールが落ちてきたのだとしても

51 AI（人工知能） コンピューターに計算させることで「知能」を機械的に実現しようとする分野。人工知能は哲学者ジョン・サールによって「強い人工知能（人間のような知能を持つ）」と「弱い人工知能（人間のような知能の一部の代わりを行う）」に分類されたが、現在加速度的に進歩しているのは「弱い人工知能」と呼ばれるほうのいわば計算機で、AIからイメージしがちな人間に取って代わる「強い人工知能」はいまだ実現していない。つまり、演算処理が高速化することで「作業」などはAI任せにできるようになるが、不確実（予測不可能）な環境で臨機応変で適切な判断をすることは「弱い人工知能」にはできないため、人間のような「知能」に追いつくことはない。

成り立たない。
「ボールが飛んできた↓窓ガラスが割れた↓ボールが落ちた」という順序が、連続した時間として続いていることが確実なら、因果関係としての信頼度は上がります。つまり、原因が先にあって、そこから連続した時間を経た結果であることが前提で、原因と結果を軸としてとらえて、そのあいだの時間の流れに不自然さがなければ、因果関係がある可能性があるといえます。

ところで、ぼくたちはいままで〈いまここ〉は確実であるという前提で考えてきましたが、本当に確実なものなのでしょうか?

そんな大前提を疑ったのが、哲学者ニック・ボストロム[34]です。ボストロムは現代から未来を予測したうえで、現在をとらえ直すというダイナミックな『**シミュレーション[52]仮説**[67]』を唱えました。まず、人間に匹敵するAI

52 シミュレーション まねすること、ふりをすることという意味だが、おもに模をつくることはできると思いますか？　これはシンギュラリティと呼ばれるもので、現状では多くの科学者[66]が不可能だと考えています。「０」と「１」の羅列を高速で演算することで動いているいまのコンピューターがどれだけ高速化したところで、構造的に人間のように感じたり考えたりすることはできないからです。では、いつかまったく新しい技術が開発されて、人間に匹敵するＡＩが実現したらどうなると思いますか？

ボストロムは、「もしも、人間に匹敵するＡＩが登場すれば、そこから先の進化のスピードは脅威的なものになる」と予測しています。そこまでは、ぼくたちも想像できる未来です。でもここからとんでもない仮説を立てたんです。

「もしも、人間の脳と同様なものがコンピューターによって再現できるのなら、われわれはすでに、そのような

擬実験のことを指す。現実の世界に存在するシステムを観察し分析してモデル化（重要な構成要素どうしの関係や影響の法則などを取り出すこと）し、数式やプログラム言語に書き換えて、計算機やコンピューターで結果や確率などを予測すること。

心理学者アドラーは、
過去や未来ではなく「いまここ」を
感じながら生きることが幸せの条件だと言ったよ。
過去や未来はいまここにはないものだから
考えると不安になるし、
いま変えられるわけではないから
優先順位が低いんだね。

コンピューターのなかの存在[16]である可能性が高い」というんですね。つまり、ぼくたちは、すでに高度な文明につくられた地球も宇宙も歴史もすべて飲み込むようなコンピューターのなかでシミュレーション[52]されている存在にすぎないというわけです。五感をはじめとした身体感覚をデータ化できたなら、ぼくたちには身体が必要なくなるのかもしれません。

ぼくは小学生への授業でもこの話をするのですが、意外にみなついてきてくれます。なかには、ちょっと頭がクラクラするから休ませて欲しい、という生徒もいました。身体的に、自分の存在やアイデンティティのゆらぎを感じたということです。年齢や経験によらない想像力の可能性を感じます。

物理学者**ホーキング**[53]は「人工知能の発明は人類史上最

53 **スティーブン・ホーキング**［1942〜2018］イギリスの物理学者。21歳のときに筋肉の力が次第に弱まる難病であるＡＬＳ（筋委縮性側索硬化症）を発病して余命2年を宣告されたが奇跡的に進行が緩み、ビッグバンが宇宙の特異点であることを証明するなど発症から50年以上研究を続け、宇宙物理学分野を牽引した。「私の期待は21歳でゼロまで下がった。それからはすべてボーナスポイントだ」と語っている。宇宙人との接触は人類にとってよい結果をもたらさないという立場で、2017年に世界最大の球面電波望遠鏡が宇宙からの信号らしきものを受信した際も「応答するな！」と警告している。

大のできごとだった。だが同時に、〝最後〟のできごとになってしまう可能性もある」という言葉を残しました。いったいどういう意味なのでしょうか？　ＳＦ映画のように人工知能と人類が戦うことになるのか、『シミュレーション仮説』のように人類だと思っていた自分たちのアイデンティティや世界観が覆(くつがえ)るのか、はたまたいまのぼくたちには、まったく想像がおよばない希望的な答えがあるのか？　あなたはどう考えますか？

この章ではぼくが感じてきたモヤモヤを共有しながら、どう考えれば解消できるのか、試行錯誤の追体験をしていただきました。論理的に考えることで、晴れていくモヤモヤがあります。それは、自分の行動を選択することにも、議論をしてお互いにアップデートするためにも有効な方法です。なんでもすぐに信じてしまうのではなく、正しく疑うことで、とらわれに気づき、自由な選択肢を

ホーキングは、
「全て運命で決まっていて、
何も変えることができない」と
言っている運命論者さえ
道路を渡るときは左右を
確認すると言ったよ。
そうか！
選択肢はあるというか、
自分でつくれる
ものなのね！

増やすことができます。そして、本当に信じるべきことが分かってきます。

〝過去〟の存在を疑い、この〝世界〟の存在を疑い、〝人類〟の存在を疑ってきましたが、どれもぼくたちには証明も否定もできないものでした。でも、疑っている自分の存在だけは否定できない。たとえコンピューターのなかの存在だったとしてもです。

そんな発見をした哲学者デカルトは、たしかに存在する自分を起点に、できる限り論理的な方法で世界を解明していけばいいと考えました。このアイデアが、哲学だけでなく、近代の科学を推し進めるきっかけになったんです。

さあ、これで考える基盤ができました。次章では、科学の進歩により、明らかになってきた人間の性質や、環境の変化に目を向けて考えを進めていきたいと思います。

デカルトは、格子模様の
天井に止まっているハエを見て、
平面上にある点の位置を2つの数字で表す
「デカルト座標」を思いついたんだって。
想定外の
チャンスを活かすにも
ほどがある！
自分の存在以外
すべてを疑った哲学者が、
ハエを見て数学に革命を
起こす発見をしたなんて…

第三章

世界を知るために

認知をめぐる冒険

この世界はどのようにできているのか。
そして、ぼくたちにはどう見えているのか。
それを探究することで、
注意すべきポイントや方略が見えてくるはずです。

人間にできてAIにできないこと

どうすればAIと共存できるか？

ここまでは、普遍的なリベラルアーツの視点や方法について考えてきました。この章ではそれらをベースに、現代のリベラルアーツに話を展開させていこうと思います。

まずは、急速にぼくたちの生活に入り込んできたAI[51]について考えてみたいと思います。

AIと人間はどこが違うのでしょうか？

ぼくが子どものころはコンピューターは近未来[34]を感じる存在[16]でした。しかし、いまやパソコンが使えることは常識になり、スマホがなければ生活にも仕事にも不便を感じるまでになっています。

17世紀に数学者パスカルやライプニッツがつくった
コンピューターの元型「機械式計算機」は歯車で動いていたよ。
ギリシアでは沈没船から紀元前につくられた
機械式計算機も発見されている。
天体の位置を計算する道具だと考えられているけれど
まだ謎が多いんだ。

「あると便利」から「ないと不便」に感覚が変わるとき、それは、その社会の基盤（インフラ）[14]に組み込まれはじめたと考えられます。このあと「ないと生活できない」段階に達すると、都市における電気・ガス・水道・通信のように社会や経済活動をするうえでの生命線（ライフライン）になってきます。

ＡＩやロボットはまだ「あると便利なもの」ですが、近い将来「ないと不便なもの」になり、しばらくはその段階が続くと考えられます。

ではＡＩやロボットがインフラになった社会では、何が便利になって、どんなリスクが考えられるでしょうか？

技術が進歩して、それが社会に浸透していくということは、社会全体としては進化しているといえます。

2017年に東京工業大学がつくった
「未来シナリオ」には、仕事のオンライン化やAIによる
出会いなどが実現するのは2040年と予測されていたけれど、
コロナ禍で急速に進んで、2023年現在、多くのことが
実現できている。災害がインフラの
アップデートを早めたんだ。

そういえば、
オンライン授業も
普通になったね！

一方で、ＡＩやロボットに仕事をうばわれてしまうのではないか、という意見もありますが、新しい技術というのはもともとあった仕事を楽にしたり、精度を上げたり、先に進めたりすることに意義があります。ＡＩやロボットが仕事をうばうのではなく、代わりにやってくれる、あるいは手伝ってくれるというふうに前向きに考えなければ、社会は停滞してしまいます（もちろん「原子力エネルギー」[35]に代表されるように、リスクを抱えるくらいなら停滞したほうがよいという考えもありますが）。

ぼくたちは何を知っていれば、ＡＩやロボットと**共存**[54]してうまくやっていけるのでしょうか？

その答えの一つが、ＡＩやロボットとぼくたち人間の違いを認識することです。何が違うか分からないことで、不安になってしまうんですね。

ＡＩやロボットにできることは、それこそ使い方次第

54 共存　二つ以上のものが同時に存在すること。また、互いに助け合ってどちらも生存すること。1962年にソ連がキューバにミサイル基地を設置したことが原因でアメリカが海上封鎖して対立、核戦争の危機となったが回避された。この「キューバ危機」をきっかけに、国際社会を中心に「平和共存」や「多極化」というキーワードが使われるようになった。

で無限にあります。では、ＡＩやロボットにできないことは何でしょうか？　ＡＩやロボットには計算や分析をはじめ、決まった作業を繰り返し高速で正確に行うなど、得意なことがたくさんあります。

一方で、いまのＡＩがどれだけ進化したところで構造上できないこともたくさんあります。たとえば、ＡＩは自分自身を疑うことができません。自分自身を疑うプログラムが書けないからです。また、自分で仮説[67]を立てたり、**目的**[55]を設定したり、ルール[97]をつくって運用しながら調整したりすることもできません。

コミュニケーションも苦手ですし、あらゆることに意味[21]を感じることもできません。ですからそういう能力こそぼくたちは優先的に磨いておく必要があるわけです。

また、ＡＩは**失敗**[56]しても自分ではそれに気づけません。

（そもそも成功や失敗という価値観[32]が人間独自のもので、

55 目的　実現を目指していること。ゴール。目標は目的の一種だが、目標のほうが具体的で、目的は抽象的なものも含む。そこで、世界平和や自身の成長など抽象度の高いものを目的とし、毎日必ず挨拶をすることや決まった量の読書をするなど、そのための具体的な行動を目標とすることで手段が分かりやすくなり、実現が現実化する。「遊び」は遊ぶこと自体が目的で実益を目指さない行動を指すが、遊びに真剣に取り組めば、結果的に成長している。

56 失敗　目的とは違う結果になること。発明家トーマス・エジソンは「失敗」ではなく、うまく行かない方法を「発見」したのだととらえた。すべてはその先の未来への過程であると考えることで、すべての経験は糧（かて）になり、束ねられて意味を持つようになる。

自然界ではただそうなったというだけですが）。どういう状態が成功でどういう状態が失敗なのかを人間が決定してプログラムしなければ判断できないんです。

判断できないだけでなく、感情も理性もありません。ですから、予測不可能な事態に臨機応変に対応することも、自分軸に従って**倫理**[57]的になにが善かを考え決断することもできません。そう考えると、ぼくたちが担当する仕事はまだまだたくさんありそうですし、おたがいの長所を活かし、短所を補い合って分業することで、いままでできなかったことも実現できそうです。

57 倫理／道徳　「倫」は仲間のことで、倫理は人間が仲間とともに生活するためにはどう考えたらよいのかという原理を指す。現代では道徳と同じ意味で使われることが多いが、道徳は人間が仲間とともに生活するためにはどうするべきかという具体的で実践的な要素が強い。そのため倫理は自分で考える必要があるが、道徳は周りに合わせるだけになってしまう可能性がある。たとえば、「二十歳の喫煙は法律では許されるけれど私はやめたほうがいいと思う」というのは倫理的である。

「認知バイアス」を認知する

いかにして「無意識のクセ」に気づくか？

腕を動かさずに、自分が腕を組んだところを想像してください。右腕と左腕どちらが上になっていますか？想像できたら実際にやってみて答え合わせをしてみてください。どうですか、当たっていましたか？

では次に、腕を逆に組んでください。どうですか？ちょっと落ち着かないですよね。

こんなふうに、ぼくたちには**無意識**[58]のクセがたくさんあります。身体と同じように、感じ方や考え方にもクセやかたよりがあります。（そして、クセを矯正（きょうせい）しようとすると、どうもしっくりこない）。

もちろん個性や自分軸による違いもありますが、多くの人間に共通してあてはまるような感じ方や考え方のク

58 無意識　フロイトによって定義された意識に現れていない心のこと。ユングは、人類に共通する普遍的な無意識があるとした。また、文明批評家マーシャル・マクルーハンは、印刷技術により文字が活字として大量に印刷されるようになったことで人々が黙読をはじめ、無意識が生じたのではないかと考えた。

セを「**認知バイアス**」[59]といいます。このようなクセやかたよりはAIやロボットにはない、人間ならではの特徴の一つです。

では、次の問いになるべく素早く答えてみてください。

問一　あなたはマラソンに参加しています。たったいま、二五位の人を追い抜きました。いまあなたは何位ですか？

問二　二五階建てのビルがあります。エレベーターで一階から五階まで昇るのに五秒かかりました。これと同じ速さで一階から二五階まで昇るのに何秒かかるでしょうか？

問三　赤い玉が出たら当たり、白い玉が出たら外れの福引きを引きます。次のどちらが当たりやすいでしょうか？

59 認知バイアス　先入観やそれに基づく偏見や思い込み、また考えがかたよってしまう人間の性質のこと。錯覚の一種。もともと知っていたことや初対面の印象が強力に作用して、冷静に考えたり評価できなくなるだけでなく、いちどできあがってしまうと、正すのが難しい。たとえば、応援しているアイドルの熱愛報道を信じず、「恋人は作りません」というかつての発言や、「あの写真は合成」というインターネット上の書き込みなど、都合の良い情報だけを採用することを「確証バイアス」と呼び、その結果〝推し活〟を続けて散財することになる。もちろん、メタ認知したうえで〝推し活〟を楽しみ、あえて散財を選択するのは自由である。

Ａ：赤い玉が一個で、残り九個が白い玉の福引き
Ｂ：赤い玉が九個で、残り九一個が白い玉の福引き

問四　日本においておぼれる事故が起こりやすいのはどこでしょうか？

問一を見てみましょう。おそらく、二四という答えが多いのではないかと思います。確定されている数字があって、それを越えたのだから、順位が動くものだと思いこんでしまうんですね。しかし、抜いたということは順位が入れ替わっただけなので、答えは二五位になります。

問二も二五秒と考えた人が多いと思いますが、違います。図にしてみると分かりやすいのですが、一階から五階までは四階分しか上がっていません。図にせずに頭の

「思い込み」に気をつけながら
次の問題も考えてみよう
①ナイフとノートパソコン、危険なのはどっち？
②2人は同じ両親から同じ年月日に生まれたのに
双子ではない。なぜ？
③バットとボールはセットで1100円。
バットはボールより1000円高いとすると、
ボールはいくら？
（※「答え」は152ページへ）

なかだけで考えると、五階分上がっているという先入観を持ってしまいます。これも認知バイアスです。一階から二五階までは二四階分上がっていますから、二四階は四階の六倍ですから、五秒を六倍にして三〇秒が答えになります。

問三は当たりの数が多いほうが、確率[48]が高く感じてしまうという錯覚[60]を利用した問題です。一〇〇個のなかからたった一つの当たりを引くよりも、一〇〇個のなかから九個の当たりを引くほうが当たりそうな気がしてしまうんですね。でも実際はAの方がわずかに確率が高くなります。

問四はどうでしょうか。おぼれる事故といってまっさきに思いつくのが海や川での水難事故です。なぜまっさきに思いつくかというと、おそらくニュースなどで報道されることが多いからでしょう。しかし、もっとも多いのはお風呂での事故なのです。二〇一〇年代の統計では、屋内で起こる事故が、屋外で起こる事故の約五倍もあります。多くの人が日常的に使っているものほどたとえ確率は低くても実数は増えます。これは、人口が増えると使用者が爆発的に増えるのと同じです。

このように、ぼくたちは同じようなところで同じように錯覚して引っかかる傾向があります。

引っかからないようにするのは難しいのですが、引っかかるものだということを意識しておくことで、決断する前にいったん立ち止まることができます。広告や宣伝のなかには、このような認知バイアスを利用しているものも少なくありません。本能的に即決しないことも理性のうちです。

150ページの「答え」をいうね。

①じつはノートパソコンのバッテリーはTNT火薬50グラムと同じくらいの爆発力がある。もちろんそのままでも武器になる。これは答え方がたくさんあるね。

②同時に生まれていても三つ子や四つ子かもしれない。答えは増やせるけれどバリエーションは多くない。

③値段の「差」が1000円なのだから、100円を2で割る必要があるね。ボールは50円。これは答えが一つだ。

リベラルアーツでは、答えがどれくらいありそうなのかを判断することも大事なんだ。

錯視と人間の限界

分かっていればちゃんと見えるのか？

目の錯覚[60]も人間の代表的な認知バイアス[59]です。次の図形を見てください。

《エビングハウス錯視》

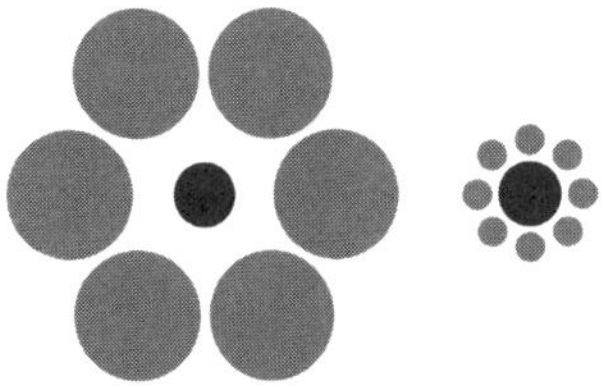

《カフェウォール錯視》

上の図の中央にある円はまったく同じ大きさなのに、

60錯覚　間違って知覚されること。また、存在するのに知覚されないこと。特に視覚における錯覚のことを錯視という。人間は一つのことに集中すると、重大な変化も見落とす傾向がある。1999年にハーバード大学でビデオに映ったバスケットボールのパスの回数を数えさせる実験を行ったところ、何度やっても約半数の人がビデオの途中で堂々と現れて画面中央で胸をたたいて去って行くゴリラの着ぐるみに気がつかなかった。

周囲に大きさの違う円を描くことで違う大きさに感じます。また、下の図のように白と黒の正方形をすこしずらして並べると、平行線が傾いて見えます。

たとえ認知バイアスを知って、メタ認知[28]（自分がかたよっていることを自覚）したとしてもやっぱりそう見えますし、ぼくたちはだまされてしまいます。いったいなぜ錯覚してしまうのでしょうか？　ぼくたちの脳に欠陥があるのでしょうか？　今度は次の図形を見てください。

《カニッツァの四角形》

哲学者メルロ＝ポンティは、
客観的に「正しく」見ることより、
実際に見えた経験を重視したよ。
そもそも見た目通りのもの
なんてないはずだし、
「じつは同じ」ということも
視点の一つなんだ。

人間の脳は、高機能であるがゆえに錯覚を起こしているといえます。そのことがよく分かる錯視が右ページの図形で、これは第一章で紹介した「カニッツァの三角形」をさらに複合的にしたものです。

実際には四角形は存在しないのですが、[31]現実世界でこのように見える場合、線の欠けの向きがピッタリ揃っていると考えるよりも、交差した黒い線の上に白い四角形が置かれ、さらにその上に黒い線と白い四角形がもう一組置かれていると考えるのが自然です。脳は視覚情報が曖昧（あいまい）な時、そうである可能性が高い、ありえそうな解釈をするんです。つまり、不足している情報を補おうとしてくれた結果、ないはずの四角形が見えるんです。

ちなみにこの四角形を見て、もう一つ気づくことはありませんか？　小さい四角形が周囲や大きい四角形に比べて明るく見えると思います。これも一番上にあるなら、そう見えるはずなので、脳が明るさを補ってくれているんですね。
もう一つ、ないものが見える錯視を紹介します。次の図形を見てください。

《ハーマン格子》

格子の十字路に黒い丸が見えると思います。見えているものが（物理的には）存在しないことがあるのだと体感できると思います。
これらの錯覚は先天的な性質によるので、脳に新たな情報をインストールしても、感じ方を変えることはでき

パルテノン神殿や法隆寺の柱は
エンタシスといって、上のほうが細くなっている。
これはまっすぐな円柱よりも安定して見える
錯覚を利用しているんだ。ディズニーランドの建物も、
上に行くほど石垣やタイルを小さくつくることで、
実物よりも壮大なスケール感を
演出しているんだよ。

ません。でも、だったら知らなくても同じなのでしょうか？　それはちょっと違うとぼくは思います。

人間は、視覚情報の処理だけで脳の九〇パーセント近くを使っているという説があります。それは目に見えるものの情報量が多く、人間にとって有用だからそのように進化した（そのような能力が残った）のだと考えられます。

ぼくたちが見たことを信じやすいのもそれが理由でしょう。でもその視覚情報が絶対的なものではなく、疑わしいこともあると自覚することで、目を閉じて、音を感じたり、温度を感じたり、空気を感じたり、普段は重要視していない、ＡＩ[51]にはない感覚に集中することができるのではないかと思うのです。そして、その感覚を意識することこそ、ぼくたちがＡＩと共に未来[34]をつくってゆく鍵になるような気がします。

たとえばここに食べものがあったとして、
見た目は平気そうだけれどもしかしたら
腐っているかもしれない。
そういうとき、視覚以外の嗅覚や触覚を頼れば、
口に入れる前に分かるかもしれないよね。
「百聞は一見にしかず」とは限らないんだ。

あなたの太陽は何色か？

認知のかたよりには、先天的なものだけでなく、後天的なものもあります。

「太陽の絵」と「月の絵」を描いてみてください。いま、道具がそろわなければ思い浮かべるだけでもよいです。それぞれどんな大きさと色をしていますか？

地球に住むぼくたちは、（物体としては）まったく同じ太陽を見ています。にもかかわらず、太陽の絵を描いてもらうと、赤く描く人もいればオレンジの人も黄色や金色の人もいて、大きさもさまざまです。月は、白や銀、黄色で描く人が多く、大きさは太陽ほどではありませんがやはり色々です。

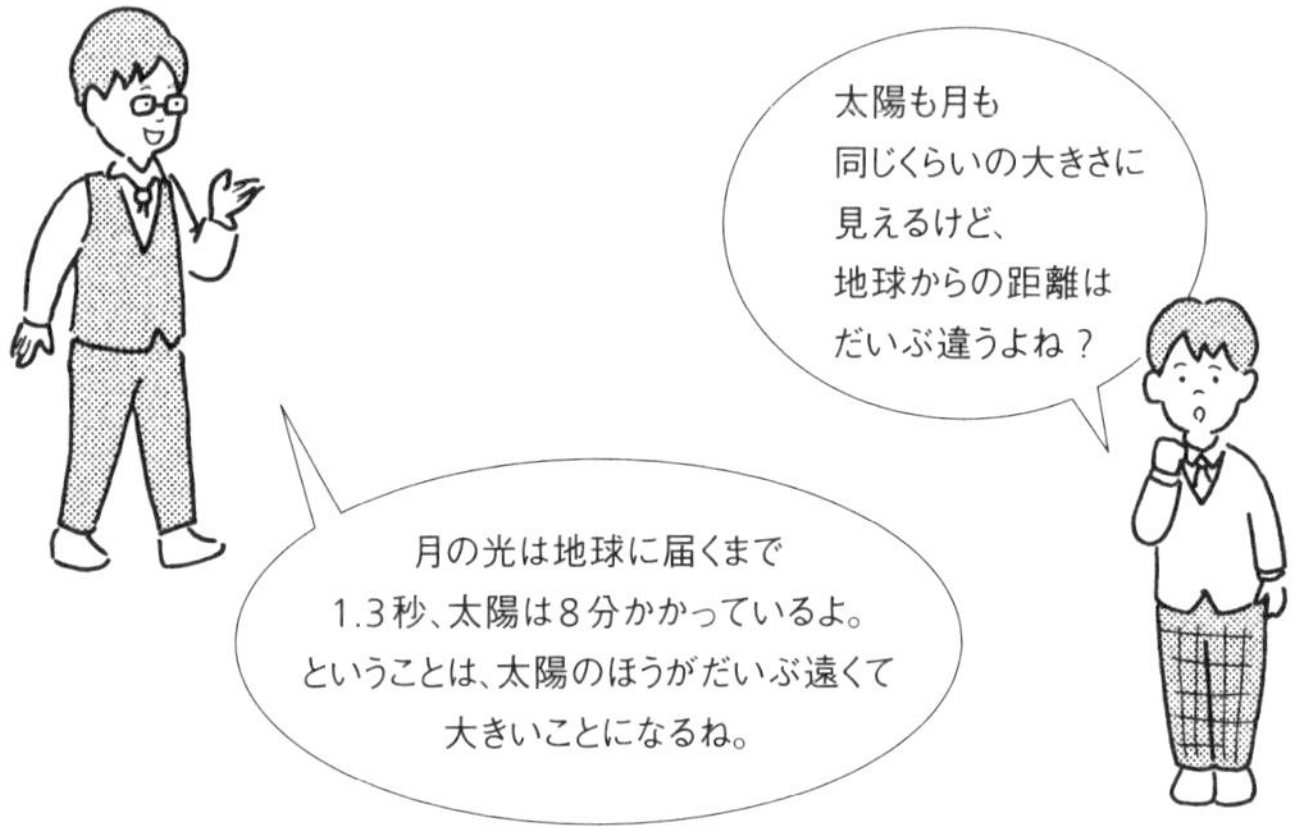

太陽も月も同じくらいの大きさに見えるけど、地球からの距離はだいぶ違うよね？
月の光は地球に届くまで1.3秒、太陽は8分かかっているよ。ということは、太陽のほうがだいぶ遠くて大きいことになるね。

あなたはどうですか？　赤くて大きな太陽、黄色くて太陽よりやや小さめの月の絵を思い浮かべませんでしたか？　日本では太陽を赤く大きく、月は黄色くやや小さめに描く人が多いのです。いったいなぜでしょうか？

ぼくたちの記憶は案外いい加減です。目・耳・鼻・舌・皮膚の五官を経た脳による認知も、センサーで検知したデータのように均一ではなく、もともと知っていることや暮らしている地域の文化の影響を受けています。

科学的な話をすれば[66]、太陽や月の色は光の三原色である赤・緑・青の混ざり具合で変わりますから、**緯度**[61]や瞳の色によっても色の見え方が変わります。

赤道から見ればより赤く見えますし、青い瞳の人はより鮮やかに赤が見えるわけです。しかし、それでは中緯度に位置する日本の太陽が赤くて大きい理由は説明がつきません。

61 緯度／経度　地球上の位置を示す2次元的な座標。地図や地球儀では緯線（横線）で表される緯度は赤道を0度として北極点が北緯90度、南極点が南緯90度。経線（縦線）で表される経度はイギリスの旧グリニッジ天文台を通る子午線を0度として東西それぞれに東経180度、西経180度からなる。地球は現在、24時間で1回転（360度）自転するため、15度で1時間の時差があることになる。ちなみに、経度180度は日付変更線になっているが、同じ土地で日付が変わるとめんどうなので、陸地を迂回（うかい）して海だけを通るように設定している。

日本の場合、太陽の**イメージ**[62]は『日の丸』の国旗の影響が大きいと考えられます。他にも子供のころに読んだ絵本に赤くて大きめの太陽が描かれていたことが影響していたり、「太陽は燃えている」というイメージから火や炎の赤を連想しているかもしれません。

アリストテレス[23]も頭を悩ませた地平線近くの太陽や月が大きく見えるという錯覚[60]の理由は現代でも解明されていません。大きく見える月に感動して写真を撮ったら小さく写ったなんて経験はありませんか？

地上から見えている月の物理的な大きさは手に五円玉や五〇円玉を持って腕を伸ばしたときに見える穴の大きさとだいたい一緒なので、穴のなかに月が入るように見てみてください。いつも同じ大きさだということが体感できると思います。

月の大きさについても絵本の影響も考えられますし、

62イメージ　もともとは視覚的にとらえたもののかたち（視覚イメージ）を指したが、現代ではあらゆる感覚器官からとらえた聴覚イメージや嗅覚イメージなど、経験した知覚によって形づくられ、想像できる感覚すべてを指す。表象や心像ともいう。経験をもとにつくられるので、生まれたときから全盲の人は視覚イメージを持つことはできず、睡眠時も聞いたことのある音声（聴覚イメージ）の組み合わせを中心にした夢を見るという。このことからも視覚の次に優位な感覚は聴覚だと考えられる。

夜のため周囲の景色が暗くて見えないので比較対象がなく、周囲を切り取って拡大したイメージを持ちやすいのかもしれません。また、理科の教科書にある月の満ち欠けの図が影響している可能性もあります。

色に関しては、太陽と月が同じ色にならないように[58]無意識で分けているとも考えられます。虹が何色に見えるかが地域によって違うように、先に知識があることが見え方に影響していそうです。

だとすれば、それこそが学習や教育の意義です。ぼくたちはインプットする知識によって、世界の見え方が変わるんです。つまり、何を知らせるかによって、かたよらせることも、かたよりに気づかせることもできるんですね。〝常識〟は場所によって違いますが、環境によって触れやすい情報が違うことが、原因の一つだと考えられます。

自分とは違う「常識」に触れて
カルチャーショックを受けることでも、
ぼくたちは認知をアップデートすることができるんだ。
何を学べばよいか分からなければ、
とりあえず行ったことのないところへ
旅に出てみよう！

ぼくたちは同じ「赤」を見ているのか？

ぼくの父親には色覚異常[63]がありました。世界がモノクロで見えているわけではないのですが、赤と緑を見分けることができないのです。想像してみてください、赤と緑が区別できない世界で、緑色の葉と茎に真っ赤な花が咲いているところを。

ぼくは小さいころから、父親と見えている世界が違ううえに想像すらできないことが不思議でしかたありませんでした。色がないなら想像はしやすいのですが、赤と緑以外の色が分かるのに、それだけが分からないというのがどういうことなのかイメージ[62]できなかったんです。

イギリスの心理学者ニコラス・ハンフリーはこんな問

63 色覚異常　特定の色またはすべての色を識別することが難しい状態のこと。赤と緑の区別が難しい場合が多く、信号がほぼ同じに見えるなどの問題があるが、現在では色覚補正メガネを使用することで改善することができる。ドイツの詩人ゲーテは古代ギリシア語には「青」が欠けていると指摘した。たしかに吟遊詩人ホメロスは、エーゲ海を「赤ワイン色」と形容している。はたして、古代ギリシアでは海の色が違ったのだろうか、それともそこに暮らす人々の色覚が違ったのだろうか。色彩表現にもコードが隠されている。

いを立てました。自分が見ている「赤」と、他の人が見ている「赤」は、同じだといえるでしょうか？

　たとえば、ぼくもあなたも「赤」という色を知っています。だから同じ色を見て、これは「赤」だと共感することができます。しかし、もしかしたら生まれたときからぼくには「緑」に見えているかもしれないのです。でも最初から「緑」に見えていて、その色を「赤」という名前で覚えているので意見は合うんです。赤と緑が逆転した、赤い葉と茎に緑の花が咲いているのが普通の世界でずっと生きてきているので、それが自分にとっての常識だし、自分が認知している世界なんです。

　つまり、ぼくたちは他者がどのように世界を見ているのか、正確に知ることはできないんですね。たとえ同じ言葉や前提を使っていても、本当に同じかどうか分かりません。完全に分かり合うことはできないんです。それ

ほとんどの哺乳類は
赤と緑が見分けられないんだ。
もともと哺乳類は夜行性だったので多くの霊長類は
青と緑しか見えないくらい退化していたよ。
でも、恐竜絶滅後日中に活動をはじめるようになり、
たまたま突然変異で赤が見えるようになったサルだけが
木の実を見つけることができて生き残ったと
考えられているよ。

でも、同じ景色を見て「美しい」と共感することができるのは、〈事実〉を超えたところにそれぞれの〈真実〉があるということです。

かつてジャーナリストとしてパラリンピックを取材していたときに、ぼくは何人もの視覚障害を持つ選手に「夜どんな夢[30]を見ますか?」という質問をしました。

事故や病気で視力を失った選手は、「見えていたころの記憶が組み合わさった夢」、生まれたときから全盲の選手は「ラジオドラマのような音声だけの夢」という答えがほとんどでしたが、そんななかで出会った生まれつき全盲の選手の一人が、こんなふうに答えてくれました。

「わたしは中学生くらいのとき、本当は全盲であることが夢で、目が覚めたら見える自分に戻っているという夢をよく見ていました。そのころ、よく海の夢を見たんです。その海と空は、とてもきれいな青でした。もし医学

視覚障害のある人たちの
スポーツってどんな感じなんだろう?

聴覚を頼りに競技するから、
声を出して応援したりできないし、
カメラのシャッター音が邪魔になったりするから、
気をつけて取材しなければいけないんだ。

が進歩して私の目が見えるようになったなら、夢で見た青と同じだったって確認できると思うんです」。

精神分析学者**フロイト**[64]は、夢には願望や不安が象徴的に表れることを発見しました。しかし、見たことのない「青」はどうやって表れ、どう認知されたのでしょうか？

不思議なことですが、ぼくはこの話を聞いて、きっとそうに違いないと思いました。そして、人間の想像力や、言葉の力、共感覚について、また現代の科学[66]では分かっていない〈感覚〉の可能性についても光が差すように感じたのを覚えています。

彼女が〝見た〟青は、彼女にとっては〈真実〉だったんですね。そしてその美しさは、〈事実〉としての青がどうであるかを飛び越えて、きっと美しい青だったんだろう、とぼくは確信したのです。それぐらい彼女の言葉には他人を共感させる力がありました。

64 ジグムント・フロイト　［1856～1939］精神分析の創始者。自分では認識できない抑圧された無意識の存在に気づき、夢判断などを用いてそれらを意識化して分析する方法を研究した。無意識の発見は、ダーウィンの進化論、マルクスの資本論と並んで二十世紀の思想に大きな影響を与えた。ちなみに末娘で児童精神分析の開拓者アンナ・フロイトは、「青年期にまともであること自体がまともではない」と言っている。自分がまともかどうか自信がない人も（まだ青年期なら）安心して欲しい。

どのみち、ぼくたちはお互いが見た「青」をそのまま共有することはできません。それは目が見えいても同じです。しかし、完全に分かり合えないことは受け入れつつも、それでもすこしでも分かろうとする姿勢こそが共感を呼ぶのかもしれません。

「客観」は可能か？

さて、ここまで人間の認識はそもそも怪しいということを見てきました。自分や、自分たちだけに、違う世界が見えているかもしれない。二項対立[16]や因果関係[25]は思い込みかもしれない。あいだやその他が存在するかもしれない。

そんなふうに世界の構造自体を外側へ向かってとらえたり、抽象化[82]して認識していくことが「メタ認知[28]」です。いいかえれば、自分自身を含む構造を客観的[38]に自覚することです。そして、それこそがＡＩ[51]やロボットにはない、人間の最大の能力の一つです。

ぼくは**ジャーナリズム**[65]という分野に関わることも多い

65ジャーナリズム　もともとは日常を伝えるという意味だったが、違う場所の日常や違う立場の人々の日常は、知らない情報であり、新しさに価値が認められたため定期的に報道されるようになり、より事件性のある内容を速報性と客観性を重視して多くの人々に伝える新聞や雑誌、テレビやラジオといったマス・メディアが形づくられていった。

のですが、記事にするときによく「客観的に書いてください」と言われます。事実というのは実際に起こったことですから、誰にとっても同じはずです。でも、他の人にその事実がどう映っているのかをぼくたちは知ることはできません。想像するしかないんです。

つまり、正確に知ることのできない〈客観〉を〈主観〉[38]で想像しているんです。ややこしくなってきましたので、整理してみましょう。ぼくたちが〈主観〉と呼んでいるのは、文字通り自分の観点から見た自分の考えです。いわば《主観的な主観》です。そして、ぼくたちが〈客観〉と呼んでいるものは、じつはおそらくこれが客観だろうと、自分の観点から見て判断したもの、いいかえれば《主観的な客観》ということになります。「客観的」はできる限り〈客観〉を分かろうとする姿勢のことです。

人間には〈客観〉は不可能ですが、「客観的」であることは可能なんです。

どこまで行っても、自分の主観から出ることはできません。これまで見てきたように、人間には先天的な認知バイアス[58]もありますし、文化や環境、教育による後天的なかたよりもあります。それらを知って理解したとしても、そもそも同じものが他者にどう見えているのか分かることはできません。

だからまず、自分の認知や判断を疑う。そして、他者との違いを意識する。そういうメタ認知がコミュニケーションの基盤になります。ぼくたちはそこから考えて、伝えていくんです。そんな困難な前提を受け入れつつ、それでも、できる限り他者と分かり合い、情報を共有しながら一緒に進んでいくためには、お互いができるだけ論理[9]的に、客観的に考えようとすることが近道になります。それこそが、論理学や科学[66]の存在意義だといえます。

それなら研究レポートや論文も
「主観から出ていない」ってこと？
厳密に言えば出ていないのだけれど、
できる限り客観的にしようという姿勢が、
信頼されるレポートや論文の
条件かもしれないね。

「科学的」とはどういうことか？

科学[66]であれば客観的[38]ですが、客観的なだけでは科学とはいえません。みんなの見ている前で、一度だけ奇跡[49]が起こったとしたら、それは客観的な現象ですが、科学とはいえないんです。

では、科学とはなんなのでしょうか？

科学を知識だと考えると、すでに知られている事実や、誰かによる発見や証明、ということになります。意見を言うときには理由や根拠を求められますが、もっとも説得力があり多くの人を納得させることができるのが、知識としての既知の科学です。

しかし、科学というのは未知に立ち向かうために生ま

66 科学　この世界で起こるあらゆる現象を支配する法則を発見し活用する客観的で合理的な知識体系のこと。通常は自然科学のことを指すが、人間も自然の一部であることから、社会科学や人文科学も科学の一部であると考えられている。厳密な因果性を持ち、あらゆる分野に応用できるニュートン力学が科学の典型であり基本とされているが、ニュートンは法則を発見しただけであり、それによって世界の法則が変わったわけではない。ちなみに、量子力学によりニュートン力学はミクロの世界では成り立たないことが分かっている。

れた方法です。知らないことや分からないことの理由を考え、法則を発見して、それを活用して常に進化する、未知に立ち向かう人間の理性の結晶です。

これは科学者だけの特権ではなく、ぼくたち全員が科学的に考えたり、**仮説**[67]を立てたりすることができます。

では、どう考えれば、それは科学的だといえるでしょうか？　科学であるためには、条件があります。そのなかで代表的なものは、客観性・再現性・反証可能性です。

まず客観性は、誰もが受け入れられるような常識や数値化したデータを前提にして、論理的に考えを展開していくことです。たとえば、地球には万有引力と遠心力による重力が働いているという科学について考えてみます。リンゴが落ちることは誰でも納得できます。リンゴ以外の様々なもので実験しても同じデータが集まりますので、客観的な前提といえます。

67 仮説　あるできごとを説明するために仮に設定された理論や見解のこと。科学的根拠も事実と合致している限り「定説」ではあるが、常に「例外」が発見される可能性がある以上、絶対的なものではなく、この本で取り上げたものを含めすべては仮説である。どんな前提や根拠も仮説だと考えることは、自己言及への理性やあらゆる可能性への希望につながる。しかし、すべては仮説であるという考え方自体は反証できないため仮説とはいえない、という矛盾もはらんでいる。「外に出たら地面がぬれていた」という事例と「雨が降ると地面がぬれる」という一般的原理から、「雨が降ったのだろう」と考えるのが仮説思考。すべての科学は仮説思考的に発達してきたといえる。

次に再現性は、同じ条件であれば誰でも同じ結果が得られるということです。地球上のどこの地域でも、磁力や風などの影響がなければ、誰がやっても手を離せば持っていたものは下に落ちますから、再現性があります。

しかし、イギリスの科学誌『Ｎａｔｕｒｅ』が二〇一六年に一五七六人の科学者を対象にしたアンケートによると、七〇％以上の科学者が他の科学者の実験を再現できず、五〇％以上の科学者が自分自身の実験を再現できていないという結果でした。科学者にとってはそんなもんかな、という話ですが、科学者でない人はビックリするかもしれません。

最後に反証可能性は、もし違うデータが出れば証明が覆（くつがえ）るということです。もし、あなたが持っているものが人類史上はじめて、手を離しても下に落ちなかったとしましょう。そうすると、万有引力の法則はまちがいだ

小説家スティーブンソンによれば、
青春は何もかもが実験。
再現できれば誰かの役に立つかもしれないし、
再現できなければあなただけのかけがえのない
体験になる。

ったことになります。「どんなデータが出たとしても正しい」という主張は科学的ではないんです。「何があっても絶対に神はいる」と言っているのと一緒で、それは信仰です。もちろん、何かを信じることは大事なことですが、何があっても覆らない〈絶対〉などないという前提が、逆に科学を信頼できるものにしているんです。

このことについて、イギリスの哲学者**ポパー**[68]は、「どのような手段によっても間違っていることを示す方法がない仮説は科学ではない」と言いました。

科学的であるということは、それが間違っている可能性があるのを認めるということでもあるわけです。「絶対」ということだけは絶対にない。すべてはいまのところ正しいとされている仮説なんです。これは、科学者はもちろん、科学自体にも自分を疑う能力が必要だということです。

68 カール・ポパー ［1902〜1994］イギリスの哲学者。あくまで自説を曲げないフロイトら精神分析家に対し、予測が間違っていたら自説を放棄するという論文中で述べるアインシュタインの態度に感銘を受け、著書『探究の論理』（1934）において、科学や知識は合理的な仮説の提議と、それに対する反証や批判を通じて試行錯誤しながら成長するものだとした。この誤りから学び成長し、真理に近づいていくという考えは、AIには難しい人間ならではの方法だといえる。

自分自身や、自分を含む全体（組織や国家など）を疑うことを「自己言及」といいます。自分の正しさを信じることも大事ですが、誰かとぶつかったのならば相手にとっては正しくない可能性があります。

また、時代や場所が変われば、その正しさも変化する可能性がありますから、貫けば別の問題が起こるかもしれません。

自己言及するための方法に、「振り返り」があります。

「振り返り」とは、勉強はもちろん、遊びや、読書など、どんな活動であっても、知ったこと、考えたこと、発見したこと、うまくいったことと、うまくいかなかったことなどを見つめ直し、自分が何をしてどう成長したのかを分析して整理することです。こうして次の行動に活かすことで、自分自身のソフトウェアを経験前よりアップデートさせることができます。

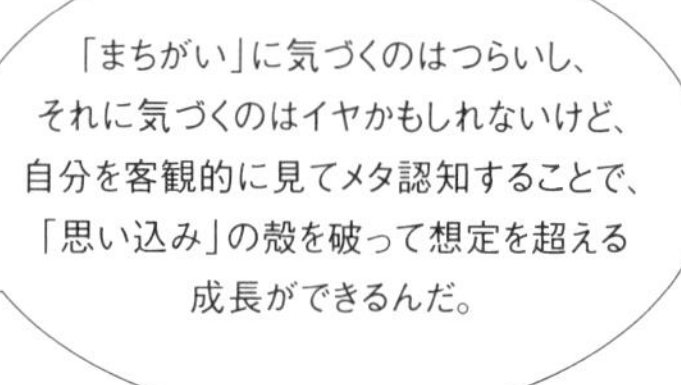

「まちがい」に気づくのはつらいし、
それに気づくのはイヤかもしれないけど、
自分を客観的に見てメタ認知することで、
「思い込み」の殻を破って想定を超える
成長ができるんだ。

「楽しかった」「つまらなかった」で終わらせず、なんでそう感じたのかを考えることで、同じことを繰り返さずにすみます。自分の思考や方法は間違っているかもしれない、と気づくことも「振り返り」です。このような「振り返り」による自己言及も、プログラムで動いているＡＩ[51]にはできない人間ならではの能力です。

「振り返り」ができるようになるとムダな経験は一つもなくなり、すべてが成長のための糧（かて）になります。このように「振り返り」を繰り返しながら成長していく学び方をアメリカの教育学者**デューイ**[69]は〝探究〟と呼びました。

69ジョン・デューイ［1859～1952］「探究」と「経験」を探究したアメリカの教育学者。デューイによれば、「探究」と「思考」は同義で、その目的は「過程」にある。また、固定化した目的は探究的とはいえず、あくまでも仮留めで、振り返りによって修正や改善・変更が加えられることで「経験」として落とし込まれ、意味のある探究になるとした。すべては動的で万物は流転する。そのなかで探究することは、自分だけの経験となり、存在の意味を紡（つむ）いでいく活動といえる。

世界はどうやってできたのか？

現在広く受け入れられている仮説[67]に、宇宙はおよそ一三八億年前に起こったビッグバンという大爆発で生まれたというものがあります。

しかし、一点の爆発からはじまったとすれば、それはひたすら均一に拡散して冷めていくはずで、[35]原子同士が出会うこともなく、それではぼくたち人間はおろか、星や銀河も生まれません。ぼくたちの存在[16]を肯定することは、どうやら現代の科学[66]だけでは難しそうです。では、どうして星やぼくたちは誕生したのでしょうか？

古代ギリシアの哲学者[70]**エピクロス**は、原子をはじめあらゆるものは法則通りに振る舞うのではなく、自ら逸（そ）れ

70 エピクロス［前342頃〜前271頃］哲学の目的は心の平安を得ることだとしてアテネに学園を開き、婦女子や奴隷にも門戸を開放した古代ギリシアの哲学者。この世界は原子と空虚からできていて、あらゆる存在は原子の結合物であり、空虚は原子が運動する場所であると考えた。彼の哲学は「快楽主義」といわれるため誤解されがちだが、心の平安のために必要なのは、政治から離れること、パンと水で満足する精神、そして友情だとした。

ていくと考えました。それを「偏倚（へんき）」といいます。つまり予測できない、変な動きをするということです。予測不可能ということは、すでに法則の必然性や絶対性を否定しています。これは科学には最初から限界があるという考えかたです。偶然や例外が必ず存在するというわけです。

さて、「偶然」変な動きをした原子は引力の波を起こします。別の原子とくっついたり、お互いに作用したりして「組み合わせ」が生じます。気が遠くなるほどの時間それを繰り返した果てに、「偶然」ぼくたちは誕生したということです。法則に従わずに遊ぶ原子が世界をつくったのです。

従わずに法則から逸れた原子から宇宙が誕生し、地球や人類が誕生したという考えは、ぼくにはとても希望的に感じます。

経済学者マルクスも
偏倚に注目していた一人。
人間も原子でできているから無作為に逸れる。
当然、原子でできた存在の営みである
経済だってそういうところが
あるはずなんだ。

逆説的に考えると、原子がキチッと法則通りに動いていたら、この宇宙も地球も、当然ぼくたちも存在しなかったことになります。

これを、もうすこしスケールダウンして、現代社会に置きかえてみると、組織や制度に従って動いたのでは、ぼくたちは何も生み出せないかもしれない。慣習を疑い、習慣を変えることは創造的です。いつもと違うことをすれば、いつもと違う結果になる確率[48]は上がります。だとしたら、従わないという選択には意味[21]があります。学校や会社に合わないなら我慢しないで飛び出してみる。それは、結果を予測できないぶん希望的でもあります。

だいたい組織や制度のなかにいる人は、外側をこわがります。分からないことは不安なんです。そのうえ挑戦できない人は、他人の挑戦もはばみます。自分で考えて自分で決めて飛び出したのなら、新しい世界の扉が開かれ、何かが生まれるかもしれません。

トランプの元になったタロットカードの０番『愚者』は、
いままでいた場所から出ていくことを象徴しているよ。
内側の人は出ていくのを止めたり、出ていった人を否定したりする。
でも、出ていった人だけが「自由」になれるんだ。
愚者はトランプでは『ジョーカー』として残ったよ。

組み合わせはどれくらいあるのか？

変な動きをした原子[35]からはじまった創世の物語[93]は、組み合わせの歴史ともいいかえられます。ゼロから生じたり、ゼロからつくられたわけではなく、そこにあった物質や情報の組み合わせが世界をつくってきたといえます。だから、ぼくは創造やクリエイトと呼ばれるものは、みんな編集[86]だと考えています。その組み合わせの可能性は凄まじいものがあります。

たとえば、原子の組み合わせが世界をつくったように、パーツを組み合わせてさまざまなものをつくりだすことができる**レゴ**[71]®ブロックは、この世界の編集可能性を感じさせてくれます。

71 レゴ® デンマーク語の「よく遊べ」という言葉から名づけられたプラスチック製のブロック。絶妙な組みやすさを実現するために、製造誤差の許容範囲を0・002ミリ以内とするなど、精密で高い品質を保っている。組み合わせを変えてパッケージを変えるだけで新製品が投入できるため、収益性が高い。ちなみに、アメリカのIT企業グーグルのロゴの色はレゴに由来しており、同社の最初のネットワーク・サーバーのケースもレゴを使用してつくられていた。

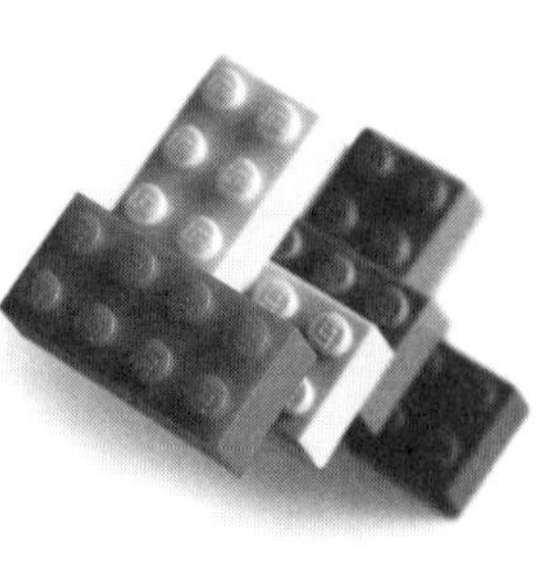

レゴ®ブロックの基本パーツに、八つのポッチがあるブロックがあります。すべて色の違うこのブロックを二つ・三つ・六つ組み合わせるパターンはそれぞれ何通りあるでしょうか？　まず、二つの場合は、四八通りです。ここまでは頑張って数えることもできると思いますが、三つですでに組み合わせの脅威的な爆発力を感じられると思います。なんと、九三六〇通りです。そして、六つの組み合わせになると、六五八八億七四七一万八〇〇〇通りにのぼるんです！

たった数個のブロックでさえ、こんなにも組み合わせがあるのだとしたら、人間は日々、どれくらいの情報をつくり出しているのでしょうか？

カリフォルニア大学の試算によると、人類が登場して

すべてが原子の組み合わせで、
この宇宙が無限だとしたら、どこかに
同じ組み合わせが登場することになるんだ。
つまり、地球と同じ星があって、
あなたと同じ人間がいることになるよ。

から西暦二〇〇〇年までに、すべての人類が残した記録データすべてを総合すると一二エクサバイト（一エクサバイトは一〇の一八乗）という大きさになるといいます。**ヒエログリフ**[72]も**源氏物語**[73]も**シェイクスピア**[74]もすべて含めてです。

あまりに壮大で想像できない情報量ですよね。ところが、二〇一一年の時点で、一年間に全世界で生成、複製、保存された情報は一八〇〇エクサバイトにのぼったというニュースが報じられました。ちなみに地球上のすべての砂浜の砂粒の数が一八〇〇エクサバイトだという説があります。もちろんＳＮＳなどでやり取りされている情報も含まれますから、情報の質は過去のデータとは違いますが、その情報の量はとてつもないものです。

地球が誕生して以来、地球上の物質の質量はあまり変わっていないかもしれません。しかし、情報量は爆発的

---

72 ヒエログリフ　古代エジプトの象形文字で世界最古の文字の一つ。神聖な彫刻という意味から、聖刻文字ともいう。約3000年使用されたあと約2000年のちにナポレオン軍がロゼッタ・ストーンを発見したことで解読されたが、子音しかないため発音は謎のままである。700文字ほどを基本とする表意文字だったが、次第に表音文字として使われるようになり、24文字のアルファベットになった。そのなかにどんなコードが隠されているのか。

73 源氏物語　平安時代に紫式部が書いた長編の虚構小説。ちなみに正しい呼称は「源氏の物語」。それまでの物語とはまったく違う手法で、主人公である光源氏とその一族の宮廷での人生を描き大ヒットし、のちに翻訳されて世界的にも評価を得た。文芸を行う上での基礎教養となり、和歌をはじめ様々な文化を媒介に、日本語自体に

に増えています。また二〇二〇年には、人工物の総重量が全生物の総重量を超えたという発表もありました。人間の数も地球全体で見たら増え続けています。レゴ®の例でも見たとおり、組み合わせまで考えるととても人知のおよぶ情報量ではありません。

あふれる情報のなかで、ぼくたちはどんな情報を選び、信じ、活用すればいいのでしょうか？

現代を生きるぼくたちは、大量の情報にアクセスできてしまう環境にあります。主体的にアクセスしなくても、遮断しなければ次から次へ流れてきます。とても脳の処理速度が追いつく量ではありません。

しかも、かつての情報とは質が違います。編集者はおろか、本人も推敲（すいこう）しない無責任でとるに足らないつぶやき[29]がネットワークを駆けめぐっています。そしてこともあろうに悪意や欲望に満ちた情報が、影響力を持ってし

も強く影響を与えた。ちなみに紫式部には謎が多く、生没年も本名も分かっていない。

74 ウィリアム・シェイクスピア［1564〜1616］

イギリスを代表する詩人で劇作家。『ロミオとジュリエット』や『ハムレット』『ベニスの商人』などで知られ、十八世紀になるとシェイクスピア学という学問が起こるほど世界的に影響を与えた。革手袋職人の長男として生まれたが謎が多く、どこでどう学び、演劇に関わっていったのかは分かっていないが、もともとは自身が俳優として活動をしていたという資料が残っている。作品を書くには膨大な知識が必要で、自筆の原稿や手紙なども見つかっていないことから別人説や複数人説まで存在する。シェイクスピアの

まうこともあります。

天文学的な規模で増殖する情報のなかで、ぼくらの人生の時間は相変わらずの有限です。そんな状況だからこそ、ぼくたちは自分にとって必要な情報を選択するために自分軸を把握し、情報を分類[43]し、活用する技術が必要で、それこそが、リベラルアーツなのです。

冷静に情報を見るために、いったんネットワークから離れて、この本との対話に集中してみてください。すぐに検索するのではなく、自分なりの答えを考えてみてください。答えが出ずモヤモヤする感情を流してしまわずに、たずさえて過ごしてみてください。

そういう姿勢が、情報の価値を判断する目を養います。ぼくたちは、モヤモヤする必要があるから、モヤモヤできるように進化したはずなんです。

この章では人間の認知とかたよりについて見てきまし

ファンだったフロイトは、名字と肖像画を見てイギリスではなくフランス系ではないかと疑っていた。

た。ぼくたちは傾向や共通点はあれど、みんな違う[32]価値観を持っています。それどころか認知自体にも違いがあって、お互いの見ている世界は分かりようがありません。そういう前提に立つなら、情報を選択し決定するのはやはり自分自身である必要があります。もちろん、自分以外の誰かの視点やアイデアを借りることもあるでしょうが、それを選び信頼するのも自分自身なんです。

第一章で見つめた自分軸、そして第二章で思索した[9]論理的な思考という地図と羅針盤を携えて航海しなければ、波に身をまかせて漂うしかありません。自分の[33]真善美をあらためて確認し、論理的に考え[38]客観視に挑みながら、あらゆる可能性を秘めた情報の海に思いをめぐらせながらこの章を結びたいと思います。

お互いの見ている世界は分からないけど、
お互いが違うことが分かれば、
想像するよね。同じだと思ってしまうと思考停止してしまう。
自分がされたら嬉しいことをすることや、
嫌なことをしないのはもちろん、相手「は」嬉しいかもしれない、
嫌かもしれないという前提が、平和に共存するために
必要な思いやりなんじゃないかな。

第四章

ぼくらの世界と物語

言 語 を め ぐ る 冒 険

ぼくたちは言葉を使って理解し、想像し、伝えています。
名前のないものに名前をつけることも、
ありえないことを考えることも。
言葉を使いこなせば、世界をつくり出すことだってできるんです。

人間とコンピューターの前提

ＡＩは何からつくられたのか？

ぼくたち人間は、考えるときに言語を使います。ＡＩ[51]も機械語やプログラミング言語で動きます。リベラルアーツのなかで、特に重要視されていたのは言語にまつわる科目なのですが、言語を使用することはＡＩとの共通点でもあります。では、人間にとっての言語とＡＩにとっての言語の違いは何でしょうか？

これもたくさんの答えがあるかと思いますが、最大の違いは〈身体〉との関係[25]です。ぼくたち人間は身体を持って生まれてきます。あたりまえですが、心と体は切り離せません。そして、身体全体で外の世界を感じながら、すこしずつ言葉を覚えていきます。

では、ＡＩはどうでしょうか？　ＡＩの〝本体〟はプ

国語の勉強って
日本語の勉強なのかな？

勉強しなくても、母語は
自然に話せるようになるよ。
ただ、同じ言語でも地域や人によって
すこしずつ違うから、なるべく多くの人に同じように
伝わる言葉と使い方を学ぶ必要があるんだね。

ログラムです。プログラムからできている。プログラムは言語です。つまり、さきに言語があるんですね。言語は人間が生み出したものですが、AIは言語が生み出したものだともいえます。

言語が使えるようになってからは、ぼくたち人間は言語で考えて、行動するようになります。AIとの違いは、常に言語を獲得したり、解釈や使い方を変化させたりすることです。

人間らしさの中心ともいえる「理性」が育つのも、言語を使うことで、気にしたり、考えたり[16]、納得したりしやすいからなんですね。言語の存在は、人間の感性や思考と密接に関係しているわけです。

ここまでの話をまとめると、人間の言語は身体感覚をもとに、あとから獲得されたもので、〝本体〟はあくまで人間、つまり、ぼくたちの（精神を宿す）肉体です。ここが、ＡＩと決定的に違う。人間が主体的に言語を獲得し、コントロールし、活用している、はずです。

しかし、いつのまにかぼくたちは言語によって思想を支配され、思考をコントロールされているという側面もあるんです。

たとえば、何かを判断するときに、[98]ヴァーチャルな言葉や実体のないデータばかりをよりどころにしてしまっていないでしょうか？　それでは〈身体－言語〉という人間ならではの成り立ちが逆転して、〈言語－身体〉というＡＩ化が起きてしまっているかもしれません。たまに立ち止まって、考える必要がありそうです。

さて、身体を持った人間は、それぞれの場所で五感から得た[62]イメージを言語化していきました。つまり、世界にたくさんの言語が結果的に生じたのは、環境が違った

人間は言語を使わないと
考えられないのかな？
人間は、言語以外のイメージや
感覚を使って考えることもできるよ。
ただ、言語を使ったほうが整理されて、
論理的に考えやすいんだ。

からと考えられます。では、世界にはどれくらいの言語があるでしょうか？

二〇一五年現在で、なんと七〇〇〇以上の言語が確認されています。ただし、そのうち約三〇〇〇の言語が絶滅の危機に瀕しています。人口爆発が起こるなかで、言語の数が減っているということは、急速に言語の統一が進んでいるとも考えられます。

二〇二一年現在では、中国語・スペイン語・英語が**母語**[75]として最も多くの人に話されています。世界中みなが同じ言語で話せれば、仕事や取引をするうえでも話が早いですし、たくさんの人とコミュニケーションがとれますから、とても楽しそうです。

では、少ない言語に統一されることはよいことなのでしょうか？

75 母語 日常的に使う言語、あるいは難解な思考をする際に使用する言語。生まれた国の言語（母国語）とは限らない。哲学者ニーチェは「人が正しい文法なんてものの存在を信じているかぎり神はなくならないだろう」と言った。多様で可変な過程を経た結果に対して、何かルールや法則があるに違いないと考えすぎると、それは信仰になる。つまり、証明できない正しさを「証明」するために、人は神を頼る。時と場によって言葉の意味も文脈も変化する。論理学者クワインは「そもそも翻訳は不可能なのではないか？」と問うている。

バベルの塔と翻訳の不可能性

なぜ言語はたくさんあるのか？

『旧約聖書[76]』のなかに、こんな話があります。大洪水が起こったあと、なんとか生き残った人々はレンガで天まで届く高い塔（「バベルの塔」）の建設をはじめました。それを見た神は人々の言葉をばらばらにして意思疎通ができないようにしたんですね。この話にはいったいどういう意味[21]があるのでしょうか？

もちろん様々な解釈がありますが、統一文明に対する批判的な意味合いがあると考えられます。ようするに、みんなが同じ考えなのはいいことではない、というメッセージです。強すぎる権力は人々をばらばらにするんですね。

76 聖書　キリスト教の正典。『旧約聖書』と『新約聖書』があり、「約」は神との「契約」の意味。旧約聖書はユダヤ教の経典だが、そもそもイエスはユダヤ教徒だったので、キリスト教が成立するために必要だった前提として正典とされている。一方でユダヤ教はキリスト教も新約聖書も認めていない。新約聖書はおもに使徒パウロによって編集され、それによってキリスト教が広まった。ちなみにパウロ自身はイエスには会ったことがなかったが、夢にイエスが出てきて回心したという。

グローバルというのは地球規模ということですが、なんでも地球規模に統一すればよいわけではありません。第二次世界大戦のあと世界平和を目指して国際連合が組織されましたが、第二章の対義語の項目で考えたとおり、どんな状態が「平和」なのかは人によって違います。「平和」でありたいのはみんな一緒だと思いますが、どんな状態が理想で、どんな方法で実現を目指すのかはみんな違うはずです。「平和」という言葉は抽象[82]的なので、たくさんの解釈があるはずです。

それに対し、世界規模に統一されるということは、一様にかたよるということでもあるのです。

人間は言語で考えています。言語の構造が違えば、当然考え方も違います。考え方が違えば、思想や価値観[32]も変わりますし、発見や発明だって変わってきます。つまり、言語の数が減ることは、人間の発想の幅を狭めることにつながる可能性もあります。

言語学者チョムスキーは、すべての言語には
共通する法則のようなものが
あるはずだと考えたよ。
日本語と英語は語順も文法も違うけれど、
語順と文法があるということは
共通しているといえるんだ。
まさに抽象化による発見だね。

一方で『新約聖書』は、なんと世界三二〇〇語に翻訳されています。そして、世界中の三〇%を超える人々がキリスト教徒だといわれています。

多言語の存在は、思想や発想がかたよらないために重要だったわけですが、キリスト教は、たくさんの言語に翻訳されたことで一つの思想への統一が広がった例といえます。キリスト教がここまで世界的な宗教として大きくなった理由の一つは、『新約聖書』を編集[86]したパウロが、言語の本質に気づき、それを活用したことにあるのかもしれません。

『新約聖書』は、多言語に翻訳されましたが、翻訳では、思想を完全に統一することはできません。

異なる言語は成り立ちも世界の切り分け方も違いますし、必ず翻訳した人の解釈、すなわち主観[38]が入り込みま

聖書は宗派によって
様々な解釈があるよ。文字や文だけでは、
一つの意味だけを伝えるのは難しいんだ。
翻訳されるたびに、誰かの解釈が加わって
すこしずつ変わっていくことも意識する
必要があるね。

書いた人に聞かないと
真意は分からない
ってことか…

す。つまり違う言葉や文化を持った人たちの考えを完全に翻訳することはできません。

たとえば『新約聖書』には、「はじめに言葉ありき」という有名なフレーズがあります。これはギリシア語の聖書を日本語に翻訳したものですが、もともとのギリシア語になるべく近づけると「アルケーはロゴスである」と言っているんです。アルケーというのは「万物の根源」のことです。あらゆるものごと[23]が、何でできているのかということです。アリストテレスに言わせれば「万物の存在理由」でした。

では、ロゴスというのは何か？　言葉や論理[9]という意味もありますが、これもまたすこし抽象的で多様な意味が含まれます。理由、理性、定義、本質、構造、成り立ちなんていう意味もあります。

あなたならどう翻訳しますか？

日本人と「まことのことば」

日本語にはどんな特徴があるか？

人間の思考や価値観[32]はその人が話す言語に影響されるところが大きい、という話をしましたが、これはどういうことでしょうか？

ぼくたちはいつのまにか母語[75]を獲得して使っているわけですが、それによって思考や思想が構造的にかたよってしまっているとも考えられるんです。文化の違いは、環境だけでなく言語による影響も大きいわけです。そこで、母語によるかたよりをメタ認知[28]するために、日本語という言語の特徴について考えていきたいと思います。

日本語の特徴としてまず意識したいのが「語順」です。たとえば英語は主語のあと、すぐに述語（動詞）がきま

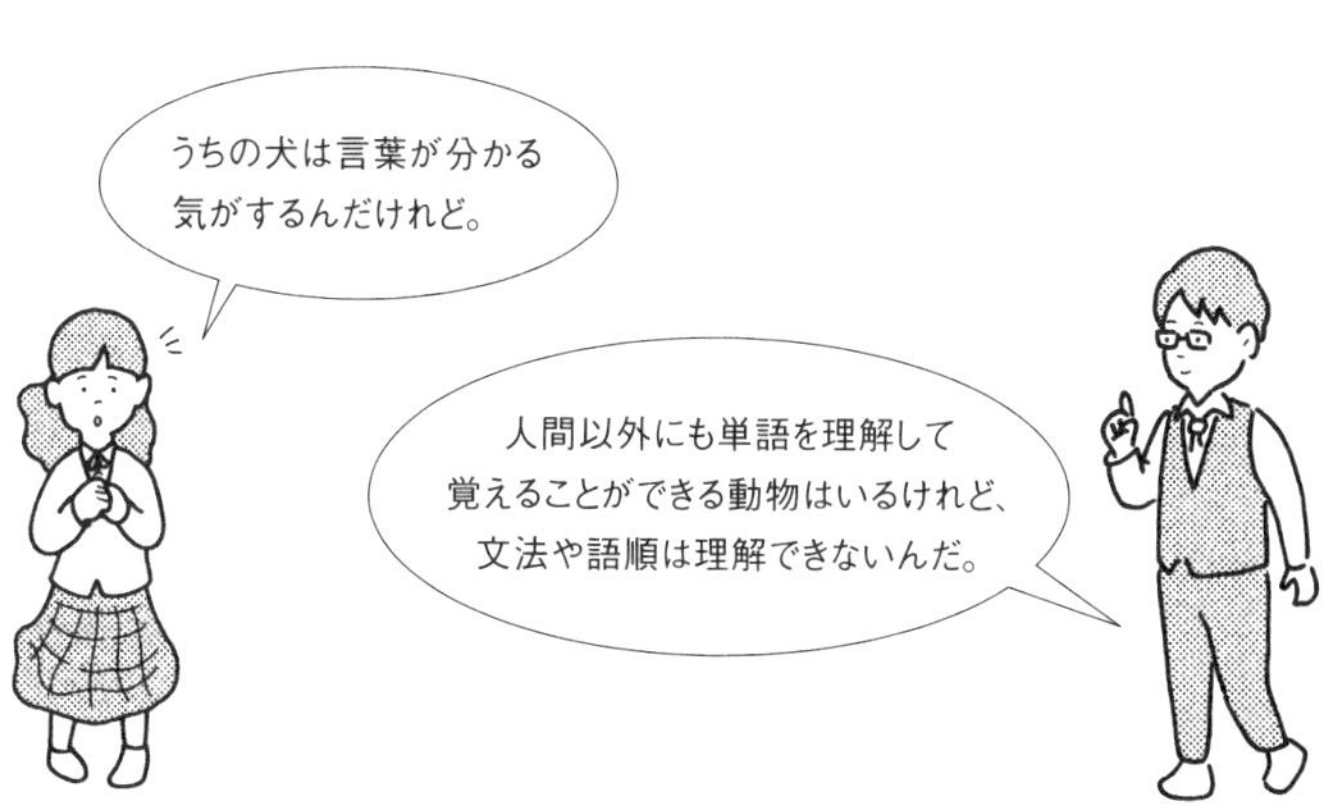

うちの犬は言葉が分かる
気がするんだけれど。
人間以外にも単語を理解して
覚えることができる動物はいるけれど、
文法や語順は理解できないんだ。

すが、日本語は述語が文末になることが多い。つまり、英語は結論や主張を最初に述べてから補足するという文法なのに対し、日本語では結論は最後になります。

これは単純に順序が逆というだけではありません。英語は結論がなければ話し始められないのに対し、日本語は主張や結論がないのに話し始めることができ、話しながら考えることもできるのです。

幕末にペリーが来航するにあたって、かつて日本に住んでいた医師シーボルトは、「日本人は結論を後回しにする」と進言しました。この性質は、日本語の文法によって培（つちか）われたとも考えられます。

次に注目したいのが、日本語の成り立ちによる特徴です。日本語は、「音声言語」として成立したあと、独自の文字を持ちませんでした。中国から漢字が伝わったあとも、話すのは日本語で、書くのは中国語、というふう

結論を先に言ったほうが
分かりやすいといわれるけど、
自然な順序は、原因や理由が先にあって、
結論が出るという順番なんだ。
共感してもらうためには、
結論があとのほうがいいこともあるから、
うまく使い分けたいところだね。

に使い分ける時代が続きました。

その後、漢字を使って日本語を書く方法が考え出されましたが、漢字は「表意文字」です。アルファベットのように音声を読み書きすることがおもな機能である「表音文字」とは違い、表意文字は一つ一つの文字に特定の意味やイメージがあります。21 62

日本語は話し言葉を異国の表意文字である漢字に当てはめたために、同じ音声なのに違う文字で違う意味を表す、「同訓異字」が数多く誕生しました。

たとえば、もともと日本語では「事」と「言」は区別されずに使われていました。というのも文字がありませんでしたから、どちらも〈コト〉という音声だけで区別がなかったんですね。

つまり、古代の日本においては、言葉も真実や事実も一つの意味として、すべて〈コト〉という言葉で表現さ

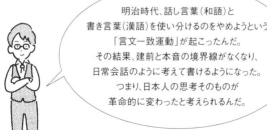

明治時代、話し言葉（和語）と
書き言葉（漢語）を使い分けるのをやめようという
「言文一致運動」が起こったんだ。
その結果、建前と本音の境界線がなくなり、
日常会話のように考えて書けるようになった。
つまり、日本人の思考そのものが
革命的に変わったと考えられるんだ。

れていたわけです。
もともと一つだった〈コト〉は漢字と組み合わさることで「まこと（事）」と「ことば（言）」という二つの意味に分かれていきました。

古代日本では、「言挙げ（ことあげ）」といって、普段は口に出さない本当に重要なことを真剣に言葉にすると実現すると信じられていましたが、〈コト（事）〉と〈コト（言）〉が区別されていなかったからこその世界観といえます。漢字によって意味が二つに分かれてしまうと、どちらの意味で言っているのか、話し言葉でも区別する必要が生じました。そこで「マコト」と「コトバ」という聞き分けやすい音声に変化し、意味も文字も音声も完全に分断されてしまったわけです。

宮沢賢治の詩『春と修羅（しゅら）』のなかに

「武士に二言はない」という言葉があるけれど、
「マコト」と「コトバ」がいっしょだった
名残かもしれないね。

昔の人の言葉には
重みがあったんだな…

「まことのことばはうしなはれ
雲はちぎれてそらをとぶ」

という一節があります。ここで賢治が失われたと言っているのは、言葉の真実性だと考えられます。ちぎれた雲がいつのまにか空の青に消えてしまうように、世界と言葉が一致することはなくなり、逆にいえば言葉を変えれば世界も変わる、という呪術性が失われていくことを嘆いていたのかもしれません。

ほかにも日本語には様々な特徴があります。漢字から「表音文字」であるひらがなやカタカナも生み出しました。本来の日本語読みを訓読みとして、中国語読みを音読みとして残しました。漢字にルビをふったりもするし、縦書きも横書きも自由です。主語はよく省略されるし、語順では論理[9]が決まらず、「てにをは」などの助詞一文字で意味が大きく変わります。

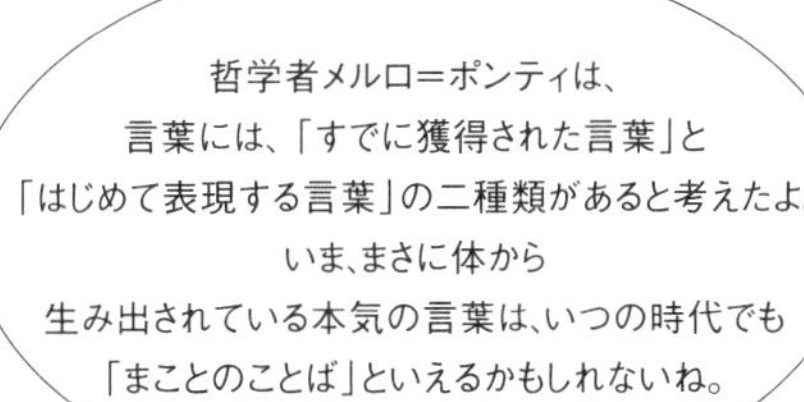

哲学者メルロ＝ポンティは、
言葉には、「すでに獲得された言葉」と
「はじめて表現する言葉」の二種類があると考えたよ。
いま、まさに体から
生み出されている本気の言葉は、いつの時代でも
「まことのことば」といえるかもしれないね。

このような言語を日常的に使っていることが、ぼくたちの思考に影響しないはずがありません。

ときに「日本らしさ」として語られる、海外のものをうまく取り入れて融合し、改善していくという方法も、対立せずにうまくやっていこうという姿勢も、このような日本語の成り立ちや構造と関係[25]がありそうです。

結論を後回しにする文法は、「意思表示の弱さ」ととらえられることもありますが、結論を保留しながら対話をはじめられるからこそ、「とりあえずいったん受け入れる」ということが自然におこり、そこから改善したり軌道修正するという流れになりやすい。また、曖昧(あいまい)やモヤモヤを受け入れられるからこそ、細かいことにこだわらず、本質を突ける可能性も感じます。

このように日本語を探究することで、ぼくたち自身の

なかなか決断できない
ことがあるけれど、
ダメなのかなあ…
たしかに「優柔不断」という
言葉にはあまりいい意味がない
のだけれど、決断できないというのは、
優しさや柔軟さでもあると思うよ。
すぐに決断すべきかどうかも
時と場合によって選択できると
理想的だね。

特徴や価値観に気づけるかもしれません。

そもそもぼくたちは、日本のことも日本語のことも「いい加減」にしている節があります。

たとえば、いままで何度も「日本」という言葉を使ってきましたが、あなたは「ニホン」と「ニッポン」どちらで読んでいましたか？　長らく表音文字を持たなかった日本語は、漢字を導入してから仮名文字が使われはじめるまで読み方を記録できなかったため分からなくなってしまったんですね。自国の正式名称が分からないなんて、相当なものです。

ちなみに、二〇〇九年にどちらでもよいと閣議決定されていますが、ＮＨＫは正式な国号は「ニッポン」としています。でも、半数以上の日本人が「ニホン」と言っている。このあたりにも「日本らしさ」がよく表れている気がします。

ぼくは「ニホン」て読んでいるなあ。本当はどっちだったんだろう？
現在は60％の日本人が「ニホン」と読んでいるという統計があるよ。でも表音文字を使う外国ではジャパンやヤポンなんて呼ばれているから、もともとは「ニッポン」だったんじゃないかなあ。

言葉の「正しさ」とはなにか？

「まじでやばい」と聞いて、あなたはどう感じますか？　この本を書いている時点では、ぼくの周りではよく耳にする言葉の一つです。では、この表現は日本語として正しいでしょうか？　もし、正しくないとしたら、正しい日本語にいいかえるとどうなるでしょうか？

いままで色々な立場の人にこの問いを出してきましたが、小学生も中高生も大学生も保護者も教師も、ほとんどの人が正しくないと回答し、「本当に危険」「本気でやめたほうがよい」「完全に無理」「とてもすごい」「よすぎる」などのいいかえをしてくれました。

そもそも、その日本語が正しいかどうかを判断するにはどうしたらいいでしょうか？

正しいか正しくないかの基準については、「伝わればよいのではないか」「教師がマルを付けるかどうか」というような意見が多く、あまり明確な回答は出てきません。

では、教師はどこに基準を持っているのでしょうか、と問うと「教科書に載っているかどうか」、そして「辞書に載っているかどうか」というアイデアが出てきます。「NHKで言っているか」なんていう意見もありました。

じつは『日本国語大辞典』には「まじ」も「やばい」も江戸時代の用例があるほど古い日本語として記載されています。つまり、最近使われ出した若者言葉ではなく、辞書に載っている言葉なのです。

「辞書に載っているかどうか」を正しい日本語かどうか

じゃあ、「まじでやばい」
を使いまくろう！
まじは真面目の略だから、
「まじにやばい」のほうが
いいかもね。

の判断基準にするなら、「まじでやばい」は正しい日本語ということになります。教科書を基準とするなら現状ではまちがっているといえます。伝わればよいならば、ほとんど全員が意味[21]が分かり、いいかえることができている時点で、正しい日本語といってもよさそうです。そもそも、言語は生き物ですから、時代とともに変化していきます。

【明朝体と教科書体】

明朝体	教科書体
糸令表家進さや	糸令表家進さや

さて、この本もそうですが、日本語でつくられる本の多くは「明朝体(みんちょうたい)」という**活字**[77]が使われています。ところが、小学校の教科書では「教科書体」という活字が使

77 活字 印刷するときに使われる字の型、規格。漢字は世界を記述するために一万文字以上が必要だったが、ひらがなは約五十音、アルファベットは約二十から三十文字ですべてを表すことができる。少ない文字数であっても、手書きであればそれぞれが違う表情や情報を持つが、活字となるとすべてが統一される。かつて人間は文字を読む際にかならず声に出して「音読」していたが、活字が登場してから目に触れる文字の量が激増し、その結果「黙読」できるようになったと考えられる。

われています。いったいなぜでしょうか？

　両方の活字を見て考えてみてください。両方の活字をていねいに紙に書き写してみるとよく分かると思いますが、同じ文字なのに形や画数が違います。小学校では、漢字の筆順や画数を習います。漢字辞典を引くときも画数で引くことがあると思います。でも、実際によく使われている活字とは画数が違うんです。

　ちなみに中学校以上の教科書では明朝体が採用されています。理由はよく使う活字を見慣れたほうがよいからです。じつは、教科書体というのは、画数や筆順を教えるためにあとからつくられたものです。だとすると、画数や筆順の正しさとはどういうことなのでしょうか？

　言葉や文字、[7]文法や表現も、時代によって移り変わっていきます。地域によっても、集団によっても、[55]目的によっても違います。そもそも「正しい」かどうかは、そ

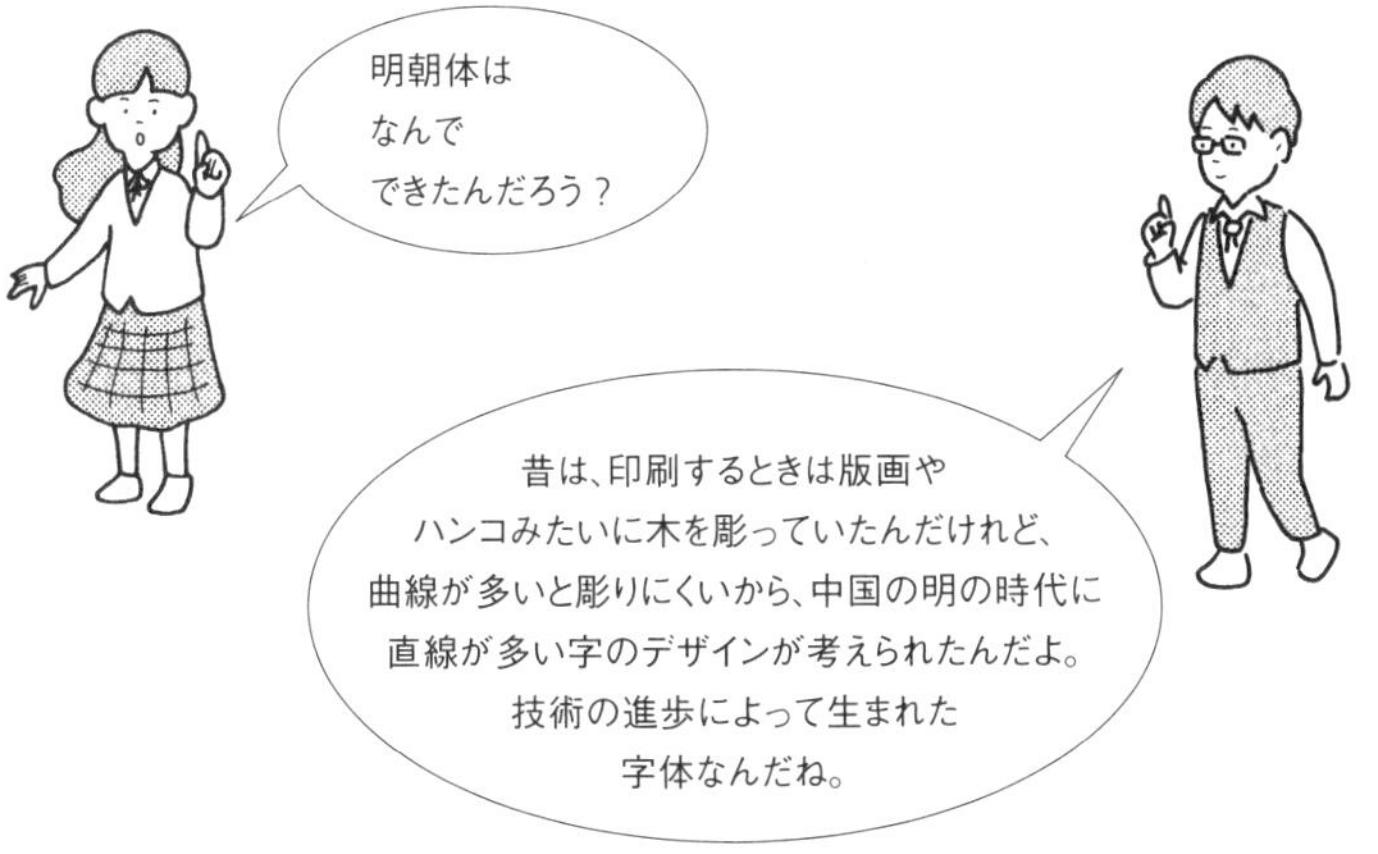

明朝体は
なんで
できたんだろう？

昔は、印刷するときは版画や
ハンコみたいに木を彫っていたんだけれど、
曲線が多いと彫りにくいから、中国の明の時代に
直線が多い字のデザインが考えられたんだよ。
技術の進歩によって生まれた
字体なんだね。

れを決める権限を持った人たちが勝手に決めていることです。

人間は文法をつくってから話し出したわけではありません。話しているうちに文法的な法則ができてきたわけです。そしてその法則は変化し続けています。文字の形やバランスも使っているうちにだんだんそろってきて、あるとき誰かが細かく規定しただけです。でも、そろっていたほうが便利なこともたくさんあります。

たとえば「A4」などの紙の大きさが世界共通の**規格**[78]になったおかげで、本や書類やノートの大きさが統一され、書類の整理ややり取りがしやすくなり、ぼくたちの学習や仕事、コミュニケーションはものすごく便利になりました。

また、コンテナの発明により、貨物輸送における積み替えのコストを大幅に削減できるようになったため、ぼ

78 規格　ものごとの標準を定めること。おもに工業製品について、大きさや材料などを統一して具体的に品質や形状を合わせること。たとえばA4用紙は、机やかばんのサイズの基準となり、ファイリングや郵送がしやすくなったため、不動産取引をはじめ様々な分野で書面を活用した契約が増加し、資本主義化を後押しすることとなった。また、コンテナの導入から10年で削減されたニューヨークの港湾労働者は75％におよんだという。つまり、規格と近代化や資本主義化には密接な相関がある。

くたちは世界中の商品を安価で手に入れられるようになりました。これらの規格は、法則とは違います。法則はもともと存在した自然界の秩序を人間が発見しただけです。変えることはできません。だから、科学的[66]にはその秩序が「正しさ」の基準になります。

しかし、規格は人間がつくり出した基準であり、そうでなければならない理由はありません。Ａ４の大きさが一㎜ずつ大きかったとしても、みなが同じ大きさにそろえていさえすれば、大きな問題はないはずです。

言葉も文法も文字も、どれが正しいということはないですが、そろっていれば読みやすいですし、ぼくたちの脳もそれに慣れて、最適化していきます。そして多くの人に使われるようになると、それに「正しさ」を感じるようになっていくわけです。

何が「正しいか」って難しいよね。
たとえばソクラテスは、
よい目的のためなら嘘をついても
いいと考えていたよ。
その目的がよいか
どうかの判断も
難しいかも。
嘘も方便っていうしなあ。
結果誰も傷つかないならいいかな。

「表現」と結合する「イメージ」

バナナという言葉を使わずにバナナを説明できるか？

ここまで、言語と思考や思想は密接に関係[25]しているという話をしてきましたが、そもそも、言語や言葉ってなんでしょうか？　言語というのは意思伝達の手段として音声や文字を使う記号の**システム**[79]です。

言葉が分からない外国で買い物をするとき、欲しいものがショーケースのなかにあったら、あなたならどうしますか？

たぶんケース越しに、欲しいものを指さしますよね。もし言葉が分かれば指をささずに買うことができます。

つまり、「指をさす」ということと言葉は「相手に伝え

79 システム　理論的な体系のこと。また、共通の目的を持ち相互に作用する全体（部分の集合）のこと。具体的な部分が集まった抽象的な全体ともいえる。企業やグループや学校やクラスなども（ちゃんと目的を共有していれば）一つのシステムといえる。うまく機能していない場合は個人の能力の問題よりも、むしろ目的を共有できていないことが多い。

るための手段」ということでは同じ機能があります。

「月を指せば指を認む」ということわざがあります。夜空にかがやく月を指さしているところを想像してください。この場合、相手に見てもらいたい対象は月で、指は単に指し示すものです。それなのに、相手は指を見ている状態です。つまり、伝わっていない。

それに対して「月を見て指を忘る」ということわざがあります。月を指されたら、月を見て、指し示した指のことは忘れる。ものごとの本旨を理解することが重要で、手段にこだわってもしかたないということです。

これを言語にいいかえると、指が「名前（言葉）」を、月が「そのもの（伝えたいこと）」を表します。つまり、言葉というのは何かを指し示しているだけで、それ自体ではないということですね。

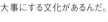

夏目漱石は「I love you」を
「月がきれいですね」とか
「月がとっても青いなあ」と
訳したという“伝説”があるよ。どういう状況か
想像できるかな？　日本語には文字通りの
意味だけでなく、言葉の背後にある意味を
大事にする文化があるんだ。

もちろん、月を指し示すとき、月と指のあいだには、物体としての月だけでなく、空気感や感情、時間の経過などの「見えないもの」も存在しますが、いずれにしても指さす人がそれを意図していなければ意味[21]はないでしょう。

近代言語学の父と呼ばれる**ソシュール**[80]は、言葉や記号というのは、「指し示すもの（表現）」と「指し示されるもの（意味）」のイメージ[62]がセットになってはじめて機能するとしました。片方では成り立たない。言葉だけ知っていても、それが意味するものをイメージできなければその言葉を知っていることにはならない、というわけです。

生後一九ヶ月で視力と聴力を失った作家ヘレン・ケラーは、家庭教師サリヴァンが水を触らせることでwaterという言葉を理解しました。このとき起きていたのは、

80 フェルディナン・ド・ソシュール［1857〜1913］スイスの言語学者。言語は記号の体系で、それを運用する能力が人類の特徴であるとした。言語を、その地域や集団で使われている言葉や文法の「コード（規範）」という社会的な側面と、自分自身の「メッセージ（内容）」を伝えるという個人的な側面に分類し、特に社会的側面に注目した。また、それまでの言語学は言語の成り立ちや歴史などを研究するものだったが、ソ

waterという文字列と視覚と聴覚以外の感覚でとらえた水そのもののイメージが結びついたということです。

ぼくたちは生まれてから身体的な感覚に言葉を結びつけるという方法で、言語を獲得してきました。しかし、ぼくたちは大人になるにつれ、体感して獲得したわけではない言葉を大量にあつかうようになります。

イメージと結びついていない言葉は、暗号（コード）[97]と同じです。情報化が進む社会では、ぼくたちは日々、大量の知らない言葉にさらされます。それは知らないことを知り、世界を広げるチャンスでもありますが、同時にイメージがひもづいていない〈暗号〉を集めてしまうリスクもあります。

ではどうしたらよいか。知らない言葉に出会ったら、ヘレン・ケラーのように言葉とイメージとがセットになるような体験をすることが一番ですが、すべての言葉を

シュールは一時点での言語の構造を研究することで、言語の全体像を理解しようとした。ちなみにソシュールはメモをすぐ捨てるクセがあり、主著を書く前に没したため弟子が苦労した。メモはそのときいらないと思っても、恥ずかしくない内容なら画像でもよいから保存しておいたほうがいい。

体感することは不可能です。であれば、意味を調べたり、それを想像したりすることでイメージを獲得していく必要があります。

学習においても、意味が分からないまま漢字や単語を丸暗記したり、イメージできないまま教科書や参考書を読み進めても、記憶することも難しいですし、使える知識になりません。大切なのは言葉が指し示す対象を想像できるかどうかです。

物語[93]や誰かの話だって、想像できなければ面白くないですし、ついていけなくなります。

では、知識や記憶のなかにイメージがなく、辞書やインターネットもない場合はどうしたらよいでしょうか？　相手が見たことのない場所や、食べたことのないものの話をすることはありますよね。そういうとき、ぼくた

哲学者ショウペンハウエルは、
普通の言葉で普通じゃないことを言うことが大事だと言ったよ。
みんなが知っている言葉で伝えられるなら、
理想的だよね。

ちは、相手の知っていることを推測し、自分の知っている言葉や経験を活用します。

たとえば、「バナナ」という言葉を知らず、食べたこともない人にバナナを説明してみてください。どうなりましたか？ それは説明であると同時に**メタファー**[81]だといえます。いくら言葉を連ねたところで、実体のない言葉の羅列です。[82]具体的にはなっても、そのものにはなりえません。相手が経験してきたことを推測し、イメージできる言葉を重ねていく方法が近道です。

そのときに、自分の体験量や、想像してきた量がものをいいます。そのようにして実体がない〈言葉〉を組み合わせて、ぼくたちは考え、コミュニケーションをとっているんですね。

81 メタファー　たとえや比喩（ひゆ）のこと。とくに、あるものごとを言い表すときに、その名称を使わずに別の種類のものごとで暗示する隠喩のこと。古典的リベラルアーツでは修辞学に属する言語表現技術で、表現の装飾と考えられていたが、まだ名称がない事象や名称が分からないことを表現することができる抽象力が必要な創造的方法であり、言語自体が壮大なメタファーともいえる。

くわしく説明すれば分かりやすいか?

さきほど「バナナ」という言葉を使わずにバナナを説明してもらいましたが、どんな説明になりましたか?「黄色い果物」とか「南国の果物」「低カロリーで栄養のある果物」「猿が好んで食べる果物」など色々ないいかえができると思います。では、どれが一番**具体**[82]的でしょうか?

その言葉を聞いて、同じものを想像する人が多いほうが具体的だといえます。では、説明がくわしければくわしいほど具体的なのでしょうか?

「低カロリーで栄養のある、猿が好んで食べる黄色い南

82 具体/抽象 人間が五感で知覚することができる形や内容がある事物が具体で、その中から要素や機能や属性など一側面を抜き出すことが抽象。つまり、具体は「指し示す言葉」に対して「指し示される対象」のイメージが経験した五感の記憶から明確に想像できるが、抽象はそれができない。たとえば「1」を想像してみて欲しい。1という記号か、何かが1つある様子なら

国の果物」というふうにすべてつなげれば具体的な気がしますし、説明としては当然長いほうが具体的といえます。でも、この説明ではマンゴーかもしれないですし、洋梨やパイナップル、グレープフルーツかもしれません。いくら長く詳しく説明しても、具体性では「バナナ」という言葉にはかなわないんです。

　ものごとは具体的に話したほうが伝わりやすくなります。そして、長く説明するよりも、同じ言葉や概念を知っている人同士のほうが話が早いし、誤解も少なくなります。では、具体的なほうがよいのかというと、そうともかぎりません。

　たとえば、自己紹介で「私は沖縄産の島バナナが好きです」と言うより、「私はバナナが好きです」と言ったほうが多くの人に共感されるはずです。[82]**抽象**度を上げて話したほうが、多くの情報がそのなかに入ります。ただ

想像することができるが、「1」という概念自体を具体的に想像することはできない。具体的に想像できないことを計算するのだから算数や数学は抽象的で難解だといえる。抽象の能力を獲得するためにはある程度、具体的な経験の蓄積が必要だと考えられる。屋外に出て色々な体験をしたほうが、屋内で教科書と格闘するよりも理解につながるかもしれない。

し、「私はモノが好きです」みたいに上げすぎると、[62]イメージができずに伝わらなくなってしまいます。ここで大事なのは、具体と抽象を二極化して考えてはいけないということです。

　具体と抽象のあいだにはグラデーションがあります。たとえば「バナナ」と「生物」のあいだには何があるでしょうか？

　まず「果物」や「植物」が思いつくのではないでしょうか。抽象度が高い順に並べると「生物→植物→果物→バナナ」となります。では、さらにいくつかあいだに入りそうなものを考えてみてください。「黄色い果物」「甘い果物」「単子葉植物」「雄花と雌花がある」「バショウ科」「東南アジア原産」「常緑多年草」「チョコをかけて食べる」など、コツをつかめばいくらでも挙げられるのではないかと思います。二項対立にはあいだがあります。あいだ

人に説明するときは
具体的なほうがいい、
と思ってたけど、
そうでないときもあるのか！
ジャンルやカテゴリーも、
抽象といえるね。最初から細かすぎるよりも、
まず大まかにつかめたほうが分かりやすいこともあるよ。
勉強も同じだね。

の移り変わりや順番を決められない項目を認識することで、[43]軸や分類が見えてきます。

具体的な説明が有効なのは、相手もそれをイメージできるときです。たとえば、[2]アインシュタインの[56]「失敗したことのない人というのは、挑戦したことのない人である」という言葉を伝えたいときに、相手がアインシュタインを知っていれば、話は早いですが、知らなければそこで想像力が止まってしまうかもしれません。

でも、だからといって相手が知らない人の話はしないほうがいいということではありません。それでは新しい知識と出会う機会がなくなってしまいます。すこし抽象度を上げて、「二〇世紀最大の[66]科学者のひとりが言ったんだけれど……」とすれば受け入れやすくなります。抽象度をコントロールできると、対話や理解の幅は、グッと広がります。

知らないものを認識するにはどうしたらいいか？

[82]抽象度を上げて考えられるようになると、知らないものを認識できるようになります。たとえば目の前にあるものを見て「たぶん、果物だろう」とか「たぶん、楽器だろう」「たぶん、入れ物だろう」というふうに推測することができるのは、自分の知っている何かに似ているからです。「似ている」というのは抽象度を上げると同じ[43]分類になるということです。

逆に、[82]具体的にしか見ていないと、知らないものを認識できません。バナナはバナナであって、それ以外のものはバナナではないということしか分からないんです。たとえば、「これは食べられるかもしれない」といって

抽象的なことを考えるのが
苦手なんだけど…
たとえば好きなアニメ作品の推しキャラや
ワンシーンについて考えるのは具体的だけれど、
作品全体について考えるのは抽象的といえるよ。
ほかの好きな作品との共通点を考えればさらに抽象的になるね。
自覚していないだけで、ぼくたちは結構自然に抽象的に
考えているものだよ。

知らないものを食べることは浅はかで危険だと考える人が多いかもしれません。しかし、知らないものを「これは食べられるかもしれない」と総合的に判断する力がなければ、いつも食べているものがなくなったら死んでしまいます。

恐竜が絶滅した理由は、隕石落下による気候変動でいままで食べていた動植物がなくなったことに対応できなかったからだという説があります。これは、別の種類で似ているもの見つける抽象化能力や、実際食べてみるチャレンジ精神がなかったともいえます。そういう抽象化してものを見る力があったからこそ、人類は雑食になり、いままで生き残れたのかもしれません。抽象の力は適応する力でもあり、機智や機転も抽象の力といえます。

ちなみに、IQ（知能指数）[83]と呼ばれる能力の大半は、抽象をあつかう力だったりします。

83 IQ（知能指数） もともとは学習能力や情報処理能力などの認知能力を指していたが、1983年にアメリカの心理学者ガードナーが、言語的知能、論理的・数学的知能、空間的知能、音楽的知能、身体的・運動的知能、対人的知能、個人内知能の七種の知的能力を包括する多知能論を提唱して教育界に大きな影響を与えた。ようするに、さまざまな能力を駆使して抽象化と具体化をすること。最近では、自分の情動を認知してコントロールでき、他者の情動を推察して対応できる能力（EQ）が注目されている。

ぼくたちは生まれたときは何も知りませんし、長く生きたところで知らないことのほうが多いのですから、抽象的に考えることはとても重要だということになります。そもそも未来[34]を正確に予測することは不可能ですから、知らない事態に直面したときに臨機応変に行動を選択していくためにも抽象の力が役に立ちます。

しかし、多くの学校や塾では抽象の力が身につきにくいのですが、それはなぜでしょうか？

最大の理由は、学校や塾では具体的に教えようとするからです。そのほうが分かりやすいのはもちろんですが、具体的でないと評価ができないんです。テストでは正解か不正解で評価するわけですが、「なんとなく分かっていそう」というような抽象的な評価をしてしまうと、基準がつくれず不公平になってしまうんですね。

「臨機応変」というのは、
その場でゼロから考え出すことではなくて、
自分の知識と経験からその場に応じて
適当なものを選んで活用することだよ。

ただ、ぼくたちの頭の構造は、なんとなく分かって、しばらく経ってからハッキリ分かってくるものです。二項対立と一緒であいだがあって、グラデーションがあります。それなのに、マルかバツかで評価されてしまうことに慣れてしまうと、過程やあいだの大切さを見失ってしまいかねません。

また、具体的に解答しないと評価されないので、みんな具体の力ばかりが磨かれていって、その結果、マニュアル通りに正確に動く能力ばかりが身についてしまっているんです。もちろん、その力にも意味[21]がありますが、AI[51]やロボットができることと重なります。

これからの時代にぼくたちが磨くべき力は、抽象と具体のあいだを行き来して使いこなす力、すなわち、プログラムされていない未知なるものと、すでに知っているものの共通点を探し、活用する力だといえそうです。

教科の勉強だって、
最初はぼんやりとしか
分からないこと、あるよね。
ぼんやり分かったら、
分かり始めているんだけれど、
それが伝わらないのがもどかしいね。
分かり始めた自分を自分で
分かってあげよう。

知らないものについて話すにはどうしたらいいか？

知らないものについて話すには、どうしたらいいでしょうか？

これには大きく分けて三つの方法があります。まず、観察して分かることを、知っている言葉に置きかえる方法です。バナナをバナナという言葉を使わずに、要素や機能を分析して説明するのと同じですね。次に、たとえるという方法があります。自分が知っている似たものごとを抽象度[82]を上げて活用するわけです。そして、三つめが、自分でそのものごとに名前をつけてしまうという方法です。つまり、言葉をつくってしまう。これらの三つの方法を組み合わせることで、未知を既知に変え、情報

幕末に活躍した政治家・勝海舟は、
よく知ってから外国に行くのではなく、
用意せずに行って見てくるべきだと言っているよ。
どうせ完璧な準備はありえないし、
先入観を持つことで見えなくなることが
あるからかもしれないね。

を伝えることができるわけです。

たとえば「バナナムシ」と呼ばれている虫がいます。バナナに似ているので誰かが呼びはじめたのでしょうが、それが地域によっては定着しています。

本当の名前は、ツマグロオオヨコバイというのですが、バナナムシのほうが呼びやすいし覚えやすいし、名が体を表していたから浸透したのだと考えられます。あだ名が市民権を得たようなものです。

ヨコバイは小さなセミに近い昆虫で、横歩きするのでその名前がつきました。ツマというのは〝はし〟の部分という意味[21]があります。はしの部分が黒いからツマグロ、そしてツマグロヨコバイよりもすこし大きい種類なので、ツマグロオオヨコバイです。

この名前のつけかたは要素や機能を説明したものです。それに対して、バナナムシはメタファー[81]を活用して、名前をつけた例です。バナナのように黄色くてはしのほうが黒くて、一部斑点があり、細長い形をしている。質感もバナナの皮に似ています。たとえを使ったほうが短い言葉でより多くの情報を伝えることができます。たとえのほうが[82]具体的になる場合もあるのです。

では、説明もたとえも難しい場合はどうしたらいいでしょうか？

人間がはじめて言葉を使い出したころを想像してみてください。当然、説明する言葉も、たとえる言葉もありません。きっと、聞こえる音をまねして声を出したのではないでしょうか。つまり「擬音語（ぎおんご）」です。枯れ葉がカサカサしていたり、火がパチパチ燃えたり、雨がザアザア降ったり、使える擬音語が増えると、音自体に意味がひもづきます。するとそれらを組み合わせて、音がないものも言葉にできるようになってきます。キラキラやフ

動物の鳴き声は
どこの国でも同じはずなのに、多様な擬音語になるよ。
たとえばニワトリの鳴き声は日本では「コケコッコー」だけれど、
アメリカでは「クックドゥードゥルドゥー」、
中国では「コーコーケー」、フランスでは「コッコリコ」、
スペインでは「クィクィリクィ」、ロシアでは「クカレクー」、
インドでは「クックローロー」、
フィリピンでは「ティックタラオー」。

ワフワ、モヤモヤなどの「擬態語」です。

このように音声や状態を言葉にしたものを**オノマトペ**[84]といいます。文字も最初は象形文字からはじまったと考えられます。これは見た目をまねして記号にしたものです。それらの聴覚と視覚の情報がつながって、言語ができたのでしょう。

ぼくたちが持っている代表的な感覚は五感です。視覚と聴覚の他に嗅覚と味覚と触覚があります。それらを活用して新しい言葉をつくることもできるはずです。

具体的なものごとに名前がついてくると、抽象度の高いことも言葉にできるようになってきます。名前のついたものの共通点を示して、それに名前をつけるんですね。犬と猫と猿に動物と名づけたり、笑っている様子に楽しいと名づけたり、そうして人間はついに、実体のないものについても話せるようになったんです。

84 オノマトペ　人類の言語は音声からはじまった。この世界で知覚できるあらゆる具体と、知覚できない抽象、すべての伝えたいことを音声に置きかえていくことは、メタファーにほかならない。だからこそ、言語能力とあらゆる認知能力や知的能力は連動していると考えられる。言葉を知り、使いこなし、つくっていくことが人間が進化する方法の一つなのかもしれない。

ありえないものを想像できるか？

言葉というのは、広い意味[21]でたとえです。オノマトペ[84]も状態をまねしてたとえたものでした。文字も、月を指さす指も、たとえです。それ自体ではない。

だから、ぼくたちは、言葉を使って五感でとらえられない実体のないものや、現実[31]ではありえないことすら話すことができます。そして、その実体のないものや、ありえないものをぼくたちは想像したり、共有したりすることができるのです。

では、さっそくありえないことを想像してみましょう。といっても、現実ではありえないことは、見たことも体験したこともないことですから、それを一から考えるのは難解です。でも、言葉を使ってありえない組み合わせを考えることならできると思います。どんな言葉を組み合わせたらありえないものになるでしょうか？

たとえば、空飛ぶゾウや、光速のシャボン玉、激辛のバナナのように組み合わせることで、さまざまなフィクションをつくり出すことができます。でも、なんでも組み合わせればいいというわけではありません。

組み合わせを変えて、シャボンバナナとか、空飛ぶ激辛、はちょっと何を言っているのか分からないですよね。光速の激辛は、ちょっと分かるかもしれない。空飛ぶシャボンバナナの激辛は光速のゾウ玉、ではもはや意味不明です。想像できるようにするためには、言葉自体の意味が分かることや論理[9]的に理解できる必要があるんです。

ぼくたちの想像力の限界はどのあたりにあるのでしょうか？　想像できるかできないかのギリギリの言葉を考

作家エドガー・アラン・ポーは、
昼間夢見る人は、
夜だけしか夢見ぬ人には見えない多くのことを
知っていると言ったよ。
たしかに昼寝すると
夜より現実的な夢を
見るような…
いや、昼寝じゃなく
「想像する人」って
意味なのでは？

えてみてください。たとえば、やわらかいダイヤモンド、灼熱（しゃくねつ）のかき氷、聖なる悪、丸い四角、赤い緑……。どうですか？　想像できるギリギリのところに、発見や発明のヒントがあるような気がします。

宇宙開発が、ジュール・ヴェルヌの小説『月世界旅行』を読んだ[66]科学者たちによって進められたように、SF作家や漫画家の想像力が、科学を牽引（けんいん）した例もたくさんあります。

SFは「サイエンスフィクション」の略ですが、『ドラえもん』で有名な漫画家藤子・F・不二雄はSFは「す（S）こしふ（F）しぎ」な話だと言いました。完全に摩訶（まか）不思議な世界観では、想像できずに多くの人が楽しめないんですね。

いまは「ありえない」けれど、いつかは「ありえそう」。もしかしたら、と思えるようなところに、SFやファンタジーの面白さがあります。想像の世界が、現実の世界

アインシュタインは16歳の頃、
「もし鏡を持ったまま光速で移動したら鏡に自分が映るのか？」
という思考実験に悩んだのがきっかけで
「光速度不変の原理」を考え、
「特殊相対性理論」を生んだんだ。

と軸でつながっているんですね。実現可能性を感じるからこそ、実際に研究する人が出てくるわけです。

さらに想像力の限界に挑んでみましょう。花の対義語はなんだと思いますか？

目の対義語はどうですか？　これは太宰治の小説『人間失格』[16]のなかで主人公たちが興じる、本来対義語が存在しないような単語を見つけてその対義語を考えるという言葉遊びです。対義語を見つけるというのは、[25]関係のないように見える二つの言葉のあいだに共通の〈軸〉を立てるということです。

たとえば、花が咲くのは地上の先端だから、地下の先端である根冠（こんかん）が対義語である、というふうに考える。あるいは花が咲くのは一瞬だから、長い時間変化しない「石」が対義語であるとか、「花に嵐」のたとえから咲こうとする「花」に対して、散らせようとする「嵐」を対

アインシュタインは、想像力は知識よりも重要だと言ったよ。それは、知識には限界があるけれど、想像力は世界を包み込むことすらできると考えたからなんだ。さらに、論理は特定の場所に連れて行ってくれるけれど、想像はどこにでも連れて行ってくれると言っているよ。

義語にする。

また、「言わぬが花」「待つが花」など、「花」は「そのほうがよい」「それに越したことはない」という意味[21]で使われるので、対義語は「やめたほうがいい」という意味のたとえを探してみる。そのように考えていけば、共有できる軸を見つける練習になります。

では、ランプの対義語は？　人生の対義語は？　世界の対義語はなんでしょうか？

心理学者[85]**ユング**は、対義語のような二項対立をつなげることと、ものごとを結合して別のものを生み出す錬金術を重ねて考えました。対義語同士は逆の意味なのにも関わらず一つの軸でつながっています。同じように、すべてのモノやコトは、なんらかの軸でつながっていて、そのあいだは虹のようなグラデーションになっています。

85 カール・グスタフ・ユング［1875〜1961］スイスの精神医学者で分析心理学の創始者。フロイトの『夢判断』を読んで感激してフロイトを訪ね、協力して活動するようになるが、解決できない考えの違いにより

その対角線や軸を考え出すことこそが**編集**[86]といえます。自分の知っていることで、関係性を理解する。そして、その軸を使って、別のことを理解したり説明しようと試みる。他者と共有できる軸かどうかを確かめる。その経験の積み重ねが、[29]あなたの自分軸となり、この世界のあらゆる情報がネットワークとして立ち上がってくるのです。

決別。個人的な無意識の他に、人類共通の無意識である「元型（げんけい）」という考えを提唱した。自然科学やキリスト教を絶対視することに反対し、「神話」「錬金術」「タロット」や、東洋の「道（タオ）」「曼陀羅（まんだら）」の研究も積極的に行った。

86 編集　本来は企画や方針に従って素材や資料を収集して整理し、印刷物などにまとめること。軸や対角線を意識して情報を分類し、また次元を意識して配列し物語や世界観を構成していくこと。編集的に見れば、あらゆる発見や発明も、すでに存在するものの価値や関係を見いだし、また組み合わせることで新たな価値を創造しているにすぎず、そう考えることは現実的であるばかりか先人や世界に対するリスペクトでもある。

絵に描いてある文字は絵か？

さて、この章では言語について考えてきたわけですが、ぼくたちが誰かに何かを伝えたり、想いを共有するときには非言語のコミュニケーションも多用します。たとえば声の大きさやトーンから真剣さが伝わったり、笑顔が楽しい雰囲気をつくったりします。

言葉というのはぼくたちが身体で感じたこの世界を記号に変換したものですから、言葉を介するよりも、直接感じたほうが伝わることもたくさんありますし、そもそも言葉にするのが難しいこともあります。そんな言葉の限界を感じさせてくれる方法の一つが、アートです。

リベラルアーツも、自由になるためのアートといえます。いまから紹介するアートには、見る人が思い込みに

アート（art）の語源はアルス（ars）。
もともとは技術や方法という意味だったんだけれど、
同じく技術を表すクラフト（craft）という言葉と
使い分けられるようになって、
個性や美を表現するようになったんだ。

気づき、思考を解放するための〈問い〉が仕掛けられています。アーティストが何を問うているのか考えてみてください。

『イメージの裏切り』

ベルギーの画家**マグリット**[87]に『イメージの裏切り』[62]という作品があります。タバコを吸うための道具であるパイプが描かれている絵画なのですが、「これはパイプではない」という文字[21]も一緒に描かれているんです。いったいどういう意味なのでしょうか？

87ルネ・マグリット［1898〜1967］シュールレアリスムを代表するベルギーの画家。ジョルジョ・デ・キリコの『愛の歌』というゴム手袋、緑のボール、黒い汽車、おかしな建物と青空、ギリシャ彫刻の頭部を描いた作品を見て感動し、以後、日常的な写実の組み合わせなのに、現実にはありえない幻想的な非日常的世界観を描いた。「関係のないもの」を描いたといっても、それらを描こうと思いつ

マグリットは、キャンバスに描かれているのはパイプの絵（イメージ）であって、実物のパイプではないというんですね。つまり、絵に描かれていることは矛盾していないわけです。でも、ぼくたちは「指し示すもの（パイプの絵）」と「指し示されるもの（パイプそのもの）」を混同してしまい、不思議な感覚に陥ります。キャンバスのなかにある《それらはすべて絵である》という前提を忘れてしまうんです。

ぼくたちは勝手に前提を忘れたり、思いこむ傾向があります。この場合、パイプの絵は〈絵〉だと言われればそう解釈できるのに、書いてある文字は、文字通り〈言語〉として解釈してしまいます。キャンバスに描かれているのだから、文字も〈絵〉と考えてもよいのに、見るのではなく読んでしまうんです。意味が分かるものは解釈してしまう。これも人間の理性であり、バイアスの一

いたのだから、たとえ無意識であれ、作者の心のなかでは何らかの関連があるはずである。意識と無意識の境界線を描きだそうとしたシュールレアリスムは、フロイトの影響を受けて誕生した。

マグリットは、
実物とイメージは
そもそも違うものだというメッセージを
伝える作品を多くつくった。
だからこそ、彼の作品は矛盾に
満ちているんだ。

つであり、文字の持つ呪力でもあります。その結果、この絵を見た人は混乱してしまうわけです。あなたなら、どう解釈しますか？

フランスの哲学者**フーコー**[88]は、〝これは〟が指しているのが「パイプ」なのか「パイプの絵」なのか「パイプという言葉」なのかということに注目しました。パイプに見えるけれど、じつはパイプ型チョコレートかもしれませんし、「これはパイプではない」という言葉自体が嘘かもしれません。

こうしてぼくたちは、絵と一見矛盾する文字[16]が書いてあるだけで、たった一枚の絵の解釈が無限に存在することに気づかされるのです。

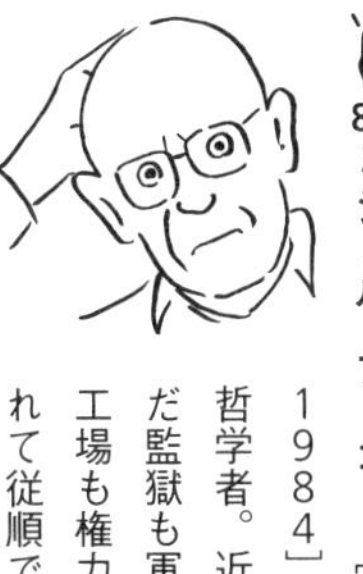

88 ミシェル・フーコー［1926～1984］フランスの哲学者。近代化が生んだ監獄も軍隊も学校も工場も権力者に監視されて従順であるように強要される同じ構造であると指摘し、自由をめぐる議論を展開した。同性愛者であり、フランスの公人としてはじめてエイズで没した。ちなみに大学進学の際、文学部に進みたかったフーコーは医学部を勧める父親と対立。それがきっかけで、本名のポール＝ミシェル・フーコーから、父親から受け継いだ名前である「ポール」を外して名乗るようになった。

ゼロからものをつくることはできるか？

ところで、あなたはどんなものをアートだと認識しますか？

そんな問いを教室ですると、「美しいもの」「技術がすごいもの」「癒やされるもの」「美術館にあるもの」「芸術家がつくったもの」「つくった人がアートだと言えばアート」などの意見が出ます。かつてヨーロッパでは[31]リアルな作品に価値があるとされました。そっくりな肖像画や彫刻、風景画、まるで[31]現実かと思うような宗教画。そのために芸術家は腕を磨いたわけですが、写真の登場でその価値は大きく変わりました。どう頑張っても写真よりリアルに描くのは難しい。しかも写真は複製できてしまう。そこでアートの価値は、写真には写らないよう

詩人ゲーテは学問と芸術の前では
国境は消滅すると言ったよ。
違う言語や文化を持った人が、
それぞれの感じ方や考え方、やり方で、
意味をつくりだすことができる
対象なんだ。

なアーティスト独自の視点やアイデアの表現へと、変化していきました。

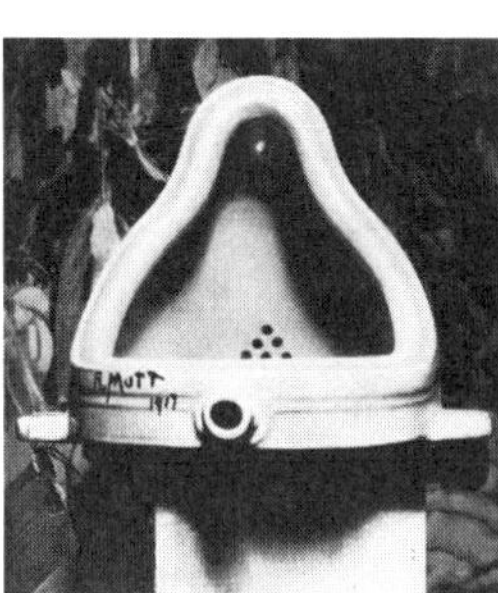
『泉』

男性用の小便器に『泉』というタイトルをつけたことで有名なフランスの芸術家[89]**デュシャン**は、たとえもともとから存在[16]するものでも、それを選んで、もとの目的[55]や役割を消して、新しい視点や思考を加えることは芸術であり創造であるといい、そういう考えでつくった作品を「レディメイド」と名づけました。デュシャンはこの作品に

89 マルセル・デュシャン［1887～1968］フランス生まれのアーティスト。男性用便器や自転車の車輪など、大量生産品に署名をしただけの『レディ・メイド』に代表される、それまでの芸術の価値観をくつがえす思想と方法が、シュールレアリスムをはじめとした現代芸術に与えた影響は計り知れない。ちなみにデュシャンが作品として残したものは少なく、『作らない芸術家』として表現活動をせずにチェスに没頭するかたわら大量のメモを残すなど、コンセプチュアル・アートを先駆けた。

どんなメッセージを込めたのでしょうか？

　そもそも、ぼくたちが何かをつくったり表現するとき、ゼロから生み出すことはありません。もともと存在する素材や道具を探してきて、組み合わせてつくります。そうしてできあがったものに、興味や共感が集まれば、広まり、価値が認められ、まねする人もでてきます。

　デュシャンがやったこともそれと同じです。素材の一つが小便器だっただけです。絵の具や筆やキャンバスだってすでにつくられたものです。それを使って表現するのも本質的に変わりません。それに気づいたとき、ぼくたちのアート感はもっと自由になります。デュシャンが表現したかったことは、そもそもこの世界にあるものは自然物であれ人工物であれレディメイド、すなわち「既製品」だという気づきだったんです。

　それまで芸術というのは職人的な手作業でつくられた世界に一つしかないものにこそ価値があるとされていま

『泉』は、誰でも参加できる公募展に
出品を拒否されたあと行方不明になっているよ。
ちなみに、サインは偽名だったんだ。
無名の人が出品した便器が美術館におかれたら、
それは便器なのか、アートなのか。
デュシャンの問いかけは、
アートは見る人の頭のなかで完成するものだという
新しい概念を打ち立てたんだ。

した。しかし、デュシャンが提示したのは、たとえコピー可能な既製品だったとしても、見る人の思考をうながすかどうかのほうが、芸術作品として重要だという新しい価値観[32]の物語[93]でした。

この作品の登場で、それまで多くの人が共通して持っていた芸術の世界観がゆさぶられ、変わったんです。あなたが「レディメイド」作品をつくるなら、どんなものを選び、どんな名前をつけますか？

『コメディアン』

美術館に展示してあったらアートだと思っちゃうかも。
小学生のころは文房具に名前書いてたけど…アートだったのかな？

前ページの作品は二〇一九年、アメリカ最大級のアートフェアに展示されて話題になったものです。これは、壁にバナナをテープで貼り付けただけの作品です。

イタリアの芸術家マウリツィオ・カテランの『コメディアン』という作品で、なんと一六〇〇万円で落札されました。もちろんバナナは生ものです。展示中、来場者にバナナを食べられてしまうという事件がありましたがすぐに、別のバナナに貼り替えられました。いったい何に値段がついたのでしょうか？

バナナが変わっても、価値が変わらなかったということは、作品はバナナ本体ではありません。壁にバナナを貼り付けるというアイデアに価値がつき、それが食べられてしまったという事件も作品の一部として刻まれました。デュシャンが提示したレディメイドは、ついに物質を超えたアートになったといえそうです。劣化や盗難さ

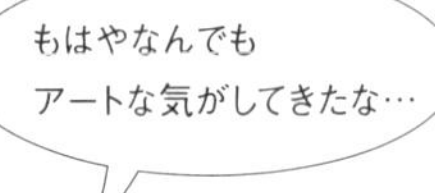

もはやなんでも
アートな気がしてきたな…

作者がアートと思っているか？
展示者がアートと思っているか？
鑑賞者がアートと思っているか？
それぞれの真善美が他の人の評価にも
影響していくのかもしれないね。

えも価値に転じるかもしれない究極のアートです。

コンピューターのプログラムやアプリケーションをぼくたちはソフトウェアと呼びます。一方でパソコン本体やスマホなどはハードウェアと呼ばれます。では、アート作品は、〈**ハード**〉[90]でしょうか？　それとも〈**ソフト**〉[90]でしょうか？

ふつう、作品は〈ソフト〉だという印象を受けますし、実際そう考えている人がほとんどです。でも、作品自体は変わりませんが、解釈や価値は変わり続けます。これは、言葉をつむいだ詩や小説などの文学作品も同じです。であれば、じつは作品のほうが〈ハード〉で、解釈や価値観が変わりゆく、ぼくたち人間のほうが〈ソフト〉なのかもしれません。

言語もアートも、人間の思想や思考に影響します。そ

---

90 ハード／ソフト　ハードはかたい、ソフトはやわらかいという意味から転じて、機械やコンピューターをあつかう際、本体や周辺機器など有形のものをハードウェア、情報や理論、プログラムなど無形の部分をソフトウェアと呼ぶ。ただし、情報のなかでも変更を前提としないデータはハード的であり、それをあつかい処理するプログラムはソフト的といえる。これを人間と言葉に置きかえると、一度言ったり書いたりした言葉は、そのように発信したという事実としては覆(くつがえ)せず、一方で自分自身の解釈や価値観は変えることができる。また言葉は文字を介して時を超えることもでき、メディアを乗り換えて残り続けるハードさを持っている。まさに不易流行である。

してそれらによる新たな表現や、問いかけが人類をアップデートしてきたことは歴史を振り返れば明白です。名言や名作は地域も時代も超えて、世界に影響を与えてきました。つまり、学習も教育も経験も、ぼくたちひとりひとりを確実にアップデートしていきます。

そして個人が変われるということは、人々の考えや人間のつくった社会は、ぼくたちが言語や非言語を組み合わせて表現することで、変えられるということなんです！

物語はプログラムできるか？

AI[51]やロボットはプログラム言語で動いています。ということは、具体的[82]に作業を言語化できる仕事から人間に取って代わると考えられます。

つまりマニュアルをつくれる仕事は、AIやロボットに引き継ぐことができるわけです。いいかえれば、具体的に言語化できない仕事、つまり抽象的[82]な仕事はAIやロボットには難しいということです。

では、どんなことが具体的に言語化できないでしょうか？ 言語は意味[21]や内容を表していますが、「非言語」と呼ばれているものは、それ以外の情報を指します。コミュニケーションにおいては、表情や動作、姿勢や距離、

ついに絵を描けるAIも登場したよ。
芸術家パウル・クレーは、目に見えないものを
見えるようにするのが芸術の本質だと言ったけれど、これからは、
プログラムできないことやセンサーに感知できないようなことが
芸術になるのかもしれないね。

声の高さや大きさ、話すスピードなどがそれにあたります。

あの人がいると、なぜか場が明るくなって仕事が進むといわれているマネージャーがいます。あの人がインタビューすると、つい本音を言ってしまうというジャーナリストがいます。現状ではそういう「能力」が言語化しにくいといえます。

どれだけ作品や製作シーンを解析しても、どうやっているのか分からないという凄腕（すごうで）の職人も同じです。しかし、いま挙げたものはいずれ言語化され、プログラムできるようになるかもしれません。

写真がデジタルデータにできるということは、アートだってすでに言語化されつつあるともいえます。では、いつか完璧なマニュアルができたとして、それに完璧に従っている人の仕事は果たして同じなのでしょうか？

こんな思考実験を考えてみました。ここに二枚の絵があるとします。片方の絵は本物で、もう片方の絵はレプリカです。しかし、見分けはまったくつきません。誰が見ても同じですし、最新のコンピューターで解析しても違いは見当たりません。どうしてもその絵が欲しいと思ったあなたがそれぞれの値段を聞くと、まったく同じものなので、本物もレプリカも値段は同じだといいます。必ずどちらか片方の絵を買うとしたら、あなたはどちらを選びますか？　それはなぜですか？

もちろん何らかのポリシーがない限り、本物を選ぶ人が多いと思います。でも、レプリカのほうに感動的な秘話があったらどうでしょうか？　作者本人が「自分はレプリカのほうが好きだ」とコメントしたら？　空前のレプリカブームが訪れていたら？　きっとレプリカを選ぶ人は増えると思います。これが[93]――物語の力です。

思い出の品とか、
壊れてても
捨てられないよね。
環境に優しい商品を
選んじゃうのも
同じかな？
そうだね。
どちらも「物語」を
感じているから価値が
上がっているんだ。

もう一問。まったく同じ成分で同じ味の手料理と調理ロボの料理だったら、どちらを選びますか？

当然、手料理を誰がつくったかによると思います。好きな人だったら手料理を選ぶでしょう。では、好きでも嫌いでもない人の手料理だったらどうでしょうか？　あるいは調理ロボをつくったのが好きな人だったらどうでしょうか？　もはや、味や成分がちょっとくらい違っても、選択に影響しなくなっていませんか？

そのもの自体ではなく、属性や成り立ち、隣接する情報に価値を感じているわけです。これも物語です。ぼくたちは何かを決定する際に物語の影響を受けているんです。

五感のなかでデジタル化が進んでいるのは、視覚と聴覚です。技術が進歩し、大量のデータをあつかえるようになってどんどん〝リアル〟[31]に近づいているのは、この

ロボの料理は
食べてみたいな！
わたしはその日の
気分にもよるかも。
未経験だから
してみたいというのも、
その日の気分でというのも、
自分の「物語」として
考えているね。

二つばかりです。触覚の研究はだいぶ進んできましたが、それでも実用化には至っていません。においや味のデジタル化は難しく、表現力豊かなグルメリポーターや評論家が[84]オノマトペや[81]メタファーを駆使して「言語化」している現状ですが、その言葉から正確ににおいや味を再現できる人はいないでしょう。

　いずれデジタルで表現できるようになるかもしれませんが、まだまだ時間がかかりそうです。


　絶妙なコミュニケーションだって、臨機応変な対応だって、現状のAIにはできません。[67]仮説も立てられないし、[55]目的を決めることもできない。心配しなくても、ぼくたちのやっていることは〝正確に〟言語化できないことばかりです。

　でも、もし仮にあらゆることがデジタル化される[34]未来が実現したとしても、いまぼくたちが感じている物語や真善美[33]の実感はぼくらだけのものです。みんな解釈が違う。

言語化され、デジタル化されれば、さらに価値は変わります。どんな仕事も、言動も、感情も、人間が身体を持っている限り、まったく同じにはならない。

唯一無二のぼくたちは、一回性の体験を重ねつむぎながら、不断に変化していくのです。

哲学者ヘラクレイトスは、すべては変わりゆくことを
「同じ川に２度入ることはできない」と表現したよ。
同じ場所でもう一度川に入っても、
そこにある水は流れて変わっている。
そして、ぼくたち自身だって一度川に入ったという経験がある。
すべてが変わりつづけているんだ！

終章

ぼくたちの物語を描く

かつて人々が星空を見上げて、神話を語ったように、
誰かが意味を与えて、誰かが引き継いだストーリーに、
あなたの糸をつむいで、自分の物語を豊かにしていく。
それが自由な人生の編集なのです。

あなたはどんな物語を生きたいのか？

さて、リベラルアーツの小さな旅もいよいよエンディングに向かいます。ぼくたちが「自由[0]に生きる」とはどういうことなのか。その核心に迫っていきたいと思います。

ぼくたちの周りには実体のないものがたくさんあります。その代表が法律や通貨です。法律というルール[97]はデータにすぎませんし、**貨幣**[91]は価値を見えるかたちで代用する**トークン**[92]です。

どちらも誰かが人為的に決めたことです。自然界の科学[66]的な法則ではありません。では、あなたはなぜ法律を守るのですか？　なぜその貨幣に価値があると思ってい

91 貨幣　お金のこと。貨幣には実体がない。人間が決めた価値を代替するトークンである。貨幣があるから自由が制限されるという考えと、貨幣があるから自由度が上がるという考えがある。そういう意味で法律などのルールと同じである。実体のない貨幣の価値を保証しているのは多くの場合国家や銀行であり、その後ろ盾がなくなれば紙幣はただの紙である。仮想通貨（暗号資産）は国家ではなくブロックチェーンという技術で取引記録をネットワーク上で分散共有することで価値を支えている。

92 トークン　何かの代用やしるし・証拠として使われるもののこと。たとえば、ボードゲームにおけるコマは、プレーヤー自身のトークンといえる。また、すでに支払い済みであるという証拠としての商品券や、ゲームに用いるメダルなどの代用貨幣もトークンである。また言語や記号は概念

るのですか？

ここに世界の大いなる謎があります。その謎を理解すると、ぼくたちは「**物語**[93]」を消費する側から物語を生産する側に回ることができるのです。

たとえば、パウロが『新約聖書[76]』で世界の一部を変えたように、魅力や説得力のある物語は社会の価値観[32]を変える力があります。パウロが編集[86]したキリスト教の物語は、しっかりとした論理[9]の骨組みがあり、多くの人にとって納得感のある（あるいは納得したいと思うような）物語だったんです。

ぼくたちは、いつのまにか誰かがつくった物語のなかで生きています。この世界ではこうするべきとか、これはやらないほうがいいとか、幸せだ不幸だ、勝ち組だ負け組だとか、誰かが発信したあらゆる言葉や概念に他の誰かが反応し、受け入れ、反復され、集積し、やがて構

のトークンといえる。トークンにすることでメタ認知しやすくコントロールしやすくなるが、トークンはあくまでメタファー的な存在であることを忘れると本当に大切なものが何かを見誤るおそれがある。

93 物語 誰かの行動によって何かが起こったことを語ること。展開が必須なので、4次元的に時間軸に沿った変化が描かれることが必要。静止画のように時間を切り取ったり止めたりした場合は物語ではない。また、誰かの主観で語られるため、科学的とはいえない。ソクラテスは物語よりも哲学的な考察を重視したが、弟子のプラトンは物語を積極的に活用してその哲学を伝えようとした。話し手と聞き手が一体となって自分事として主体的に紡がれる物語のことを「ナラティブ」と呼び、話し手中心の「ストーリー」と区別される。

造化して大きな物語を形成していきます。
自分自身がリアリティ[94]を感じている社会のなかで構造化しながら使われる言葉に日常的に触れることによって、価値観が形成されていきます。日本語が日本人の考え方や日本の文化に影響するように、日常的に触れる物語が、ぼくたちをつくっていくのです。

物語を構成しているのは言葉ですが、第四章で見てきたように、言葉はぼくたちが五官と脳で認知したものを音声や記号で「たとえ」たものです。言葉も現実[31]世界のものごとのトークンなのです。

本来ぼくたちにとって、もっとも具体的[82]なのは、五官でとらえられる感覚です。自分自身の身体感覚としてリアル[31]にイメージ[62]できるのが具体なんです。

にもかかわらず、ぼくたちは、自分以外の誰かの感覚からつくり出されたたとえやメタファー[81]を、不特定多数

94 リアリティ　現実感（現実っぽさ）のこと。また、空想や想像とは独立して存在していると知覚されるような特性のこと。視覚と聴覚を中心としたヴァーチャルリアリティ（仮想現実）の技術が発達した現代においては、匂いや味などに強いリアリティがあるといえる。どんな世界観や信仰を持っているかによってもリアリティは変化し、夢の中では空を飛ぶことにもリアリティを感じたりする。

の誰かが編集・再編集を繰り返しながら変化を続ける物語に、リアリティを感じているのです。

ぼくたちが法律を守ったり、貨幣に価値を感じたりしている理由は、それらが信じるに値するものだという物語に合意[95]しているからにほかなりません。たとえ納得がいかなくても、従い、使っているのであれば、それはその世界観とその物語を受け入れているということです。

つまり、面白いかどうかに関わらず、その物語を読んだうえで（あるいは読み飛ばしたりスルーしつつも）存[16]在を認めて共存[54]しているんです。それが物語の消費です。

もし、いま自分が属している世界が本当に嫌なら、理想的な物語を、あなたがつむいでいけばいいのです。別に社会や世界を変えようと思う必要はありません。自分自身が納得して自由で豊かに生きるための物語をつくれ

95 合意　自由意志での合致のこと。同調を強要することに対抗する概念。それぞれが自分軸に従って考え、同じ方向性で行こうと判断すること。「周囲に合わせよう」と自ら判断しているのであれば自由意志のうちだが、同調圧力に屈して「周囲に合わせるしかない」と諦めている場合は自由意志とはいえない。民主主義の難しいところである。

ばいいんです。

納得いかないことを、なんか嫌だなと思うことを、違和感[26]があることを認識して、言語化してみてください。それがあなたの「真善美」[33]を浮き上がらせます。

自分のためにつくったとしても、その物語が信頼に値する希望的なものなら、きっと合意してくれる登場人物が増えていって、そのうち現実世界に組み込まれていきます。それが**物語を生産する**ということです。

あなたなら、どんな物語を描きたいですか？

あらすじだけでもいいですし、断片でもいい。いま自分が生きている世界の違和感に気づき、その対義語や、別の選択肢を並べていくことで、きっとあなたが生きたい物語が姿をあらわしてきます。それこそが、次なる旅への地図とコンパスになるはずです。

さて、思考の冒険もいよいよ終盤。
哲学者ピーコ・デッラ・ミランドラは、
自分で選択できる人間が一番幸せだと考えた。
人生を自由に選択するイメージはできたかな？
そのためにどうしたらいい？
選択肢がないと思っても、
見つけたり考えたりして
増やしていく感じかな。
そのなかから選んでも
選ばなくても自由
ってことね！

みなが乗りたい物語とは？

ぼくは学校がどうしても好きになれませんでした。特に偏差値という狭い尺度で他の人と比べられたり、高学歴のほうが幸せになるという物語[93-95]に合意したくなかったんですね。でも両親も学校も同級生たちも、その「学歴の物語」に合意していたわけです。ぼくの語る物語には合意してくれなかった。

それは、当時のぼくの物語が面白くなかったし説得力もなかったし希望的でもなかったのだと思います。だからぼくは、自分のようにモヤモヤしながら既存の物語を消費している仲間に、楽しくて納得感のある希望の物語を紡（つむ）いで提案していきたいと思いました。

多くの人が合意してくれる物語をえがくためには、どうしたらいいでしょうか？

ぼくは、そのために世界の「物語」[66]をたくさん知ろうと思い立ちました。そこで、文学-科学から**サブカルチャー**[96]にいたるまで、手当たり次第に乱読しました。ある新聞社で年間四〇〇冊読む記者が、社内で信頼されていると聞きました。ならば、ぼくは年間一〇〇〇冊読もう、と決めて一〇年間続けました。

もちろん、これが正しい方法だったかどうかは分かりませんし、たくさん読んでもどんどん忘れていってしまいます。でも、そのなかで〝なぜか〟覚えているようなことを集めて一つの物語に紡ぎなおしたら、かつて孤独だったぼくが求めていたような世界観を描けるんじゃないかと考えたわけです。

この本はぼくなりに世界を再編集[86]した物語です。そこに自由意志[0]で合意してくれる人たちが現れたら、新しい

96 サブカルチャー　その社会における多数派で支配的な価値観（メインカルチャー）とは異なる文化のこと。かつて少数派だったからこそ「おたく、なにやってるの？」と聞かれて、いちいち説明が必要だった日本の「オタク文化」は、分野によっては大衆文化（ポップカルチャー）になりつつあり、サブカルチャーとはいえなくなってきている。ちなみに、いわゆる誰もが文化的であると認める文化はハイカルチャーといい、ポップカルチャーと合わせてメインカルチャーである。

世界が開けるんじゃないか、とワクワクしています。

ぼくの物語は、競争しなくていい世界観です。軍事力や経済力が幸せと直結していた時代は、どうしても競争や不安をまぎらわすための逆算に執心します。また、国民がそういう意識のほうが国家としても[1]成長しますから、そういう雰囲気や[32]価値観が醸成されていきます。しかし、そんな時代は終わろうとしています。競争している限り、全員が幸せになることはできません。特定の社会や集団の方向性から自由になり、ぼくたちそれぞれの[33]真善美に向き合わなければ、幸せを手にしにくい段階に突入しているのです。もちろん競争したい人同士が競争するのは自由ですが、他人を競争に巻き込んではダメです。

他者との同じを見つけ、違いを見つけ、あるもないも感じて、うまく組み合わせることで、あらゆる人と楽しく[54]共存できる可能性がひらくと思うのです。

同じは抽象化していけば必ず見つかるし、
違いは具体化していけば必ず見つかる。
同じを見つけることで共感して、
違いを見つけることで一緒にいる意味を
感じることができるんだ。

情報のコードと物語のスイッチ

星座に仕込まれた暗号とは？

中世のリベラルアーツでは、変化を続ける時空間としての世界をとらえるために天文学を学びました。しかし、それだけではないとぼくは考えています。

古代の人々は、関係し合い[25]、移動を続ける星々を線でつないで星座と見立て、神話と照応して語りました。たとえば、冬の夜空に輝くオリオン座は、その明るさから世界中の神話や伝説に登場しています。赤い一等星ベテルギウスは五〇〇〇年以上、白い一等星リゲルにいたっては八〇〇年以上昔に出発した光が、いまようやく、ぼくたちの目に届いているといわれています（もし、リゲルが爆発してなくなっても、八〇〇年間は地球からはありつづけるのです！）。それはまさに悠久の時を超えて語

星と星を結ぶと点が
1になって次元があがる。
さらに点を結ぶと2次元になり、
3次元になり、そこに物語が立ち上がって、
空をめぐる4次元の世界観が
広がっていくんだ。

りかけてくるメッセンジャーです。

ギリシア神話では、おごったオリオンがさそりに刺されたことから、さそり座が東の空に見えるとオリオン座は西の空へ逃げていくとされています。日本ではベテルギウスとリゲルは紅白の旗色になぞらえて平家星、源氏星と呼ばれました。それぞれの時代にそれぞれの場所で、〝同じ空〟はさまざまな物語[93]を伝えてきました。

オリオン座に限らず、どの星座からも物語が発動し、全天を巻き込んだ壮大な神話体系にアクセスできるようになっています。これは、バラバラに点在する情報を星に見立てて結びつけ、一つの物語が発動するツールとして星空を活用していたということです。

つまり物語のメタファー[81]として、同時に語り手として星空を機能させたわけです。ぼくたちが生きるこの世界には無数の情報があります。そのなかからきらめく情報を結んでいって、自らの天体図をつくり物語を紡いでいく。天文学は、その方法を身につけるための方法だったように思えるのです。

いま、大量かつ高速に情報が飛び交う時代に突入しています。ですから、この本に書いたことは、すでにあなたが知っていたことかもしれません。それでもぼくがこの本を書いたのは、そこに97**コード**（暗号）を仕込むためです。

どんな順番で、どんなふうに話をしていくのかに、世界を86編集して物語にする秘密があるのです。

いよいよ日常に入り込んできた98**ヴァーチャル**94リアリティ（仮想現実）は五感を巻き込んだメタファーに発展しつつありますし、仮想通貨（暗号資産）なんて、もはや92トークンのトークン、たとえのたとえです。

97コード／ルール　規定や規則のこと。ルールは境界線が明確で判断しやすいのに対して、コードは規範的で文脈や隠れたルールがあるため「暗号」という意味も伴う。放送コードやドレスコードは見えるコードだが、そこには社会的な背景や逆に社会への影響がある。ソシュールの、言語の構造が見えないコードをつくり社会に作用しているという考えが「構造主義」という思想を生み、レヴィ＝ストロースがこの方法を人類学へ展開した。この本には、説明していることとあえて説明していないことがあり、暗号的なコードを仕掛けてある。聖書にもシェイクスピアの作品にも暗号が隠されているといわれている。

98ヴァーチャル　実体を伴わない仮想的あるいは擬似的なものごと。何に実体を感じるかというのはリアリティによる。日常的にネット上で活動して、デジタルな情無限に生成されていくメタファーの宇宙のなかに、ぼくたちは投げ込まれているといえます。この世界は壮大なたとえの組み合わせです。でも、たとえというのは、もとをたどれば実体のある何かをたとえているはずなんです。一度すべてをおおうような壮大な世界を[62]イメージして、[28]メタ認知してから、〈いまここ〉に[16]存在する自分の身体と感覚に集中してみてください。

さあ、これであなたの世界を変える準備ができました。あなたが[31]リアルとバーチャルを行き来しながら冒険を楽しみ、この[31]現実に一石を投じて、宇宙の歴史をすこし幸せなものに変える[35]偏倚（へんき）な原子になることを期待しています。まだ自分には無理だなんて思っていませんか？ そんなことはないですから安心してください。何か（たとえばこの本）に触れ、情報を入力し、思考したあとでは、確実に人は[1]成長しているのですから。

報に触れていることのほうが多ければ、むしろデジタルな情報にリアリティを感じるかもしれない。大前提として人間は頭脳や心と切り離せない身体を持っている。だから今のところは身体的な五感にリアリティを強く感じるが、それもつきつめれば情報である。どこからがヴァーチャルなのか、未来では境界が変わっていくかもしれない。

主体性と自由

あなたはどこに行きたいのか？

自動運転は、技術的に可能かどうか、[57]倫理的に問題ないのか、法律は整備できるのか、ということばかりが議論されています。しかし、何よりも大事なのは車に乗って、どこに行くのか？ ということです。

それは、ぼくたちの人生においても、同じことがいえます。どこに行きたいのか？ それはなぜなのか？ 理由を持って[55]目的を設定する力は、ぼくたち人間にしかありません。言い方をかえれば、ぼくたちにはそれを決める[0]自由があるのです。

それこそが、リベラルアーツの真の目的なのです。目的と理由に[21]意味があるのならば、方法はいくらでもあります。自動運転だろうが、自分で運転しようが、飛行機

旅の目的について
作家プルーストは、
新しい景色を探すのではなくて、
新しい目を持つこと。
ゲーテは、到達するためではなく
旅をするためだ、
と言っているよ。

99 ノーム・チョムスキー［1928〜］アメリカの言語学者。子どもが言語を習得できるのは、人間に、もともと言語を習得する文法のようなものが備わっているからであるという「生成文法」を提唱して

や電車に乗っても、徒歩だっていいわけです。

言語学者[99]チョムスキー博士をたずねてＭＩＴに訪れたことがあります。そのときぼくは「これからの教育に最も必要なものは何か?」と問いました。それに対して博士からもらった「To be free of dogma」という答えは、直訳すると「かたよった独断的教義からの解放」です。ぼくは「(いま受けている)教育自体を疑う理性を持て」というメッセージだと受け取りました。

つまり、思い込みや、誰かのつくりだした価値観[32]に気づき、本当にそれでよいのかを疑い、自分自身で考えて行動する力を身につける必要があるということです。これは、既存の大きな物語[93]から自由になることだといいかえられると思います。自分で物語を選び、再編集[86]し、あるいは紡いでいくということです。

言語学に革命的な影響を与えた。積極的な反戦運動と現代アメリカ批判でも知られる。「愛とは何か?」と質問した際、「それはあなたのここにある」と胸を指さしながら応えてくれた。

100 プラトン 「前427頃～前347頃」古代ギリシアの哲学者。ソクラテスの弟子でアリストテレスの師。プラトンとは「肩幅が広い」という意味のあだ名で、レスラーとして活動していた体育場でソクラテスと出会い弟子となったという。ピタゴラスの影響も大きく、プラトンが開いた学園アカデメイアの入口には「幾何学を知らぼくたちの時間は有限です。だから、選択をします。何かを選ぶということは、別の何かを選ばないということでもあります。何かをやらないことだって、やることと同じくらい重大な選択です。さまざまな選択の繰り返しが、ぼくらの未来[34]をすこしずつ変えていきます。その舵（かじ）取りをする技術こそがリベラルアーツです。

あなたは、何がしたいですか？　それはなぜですか？　いくつでも構いません。そのことをずっと考えて、この本の余白に書きつけていってください。そうやってこの本は、未来を内包した無限の物語に成長[1]していきます。ぼくとあなたの共同編集です。人間以外の生物が次の世代に引き継げる情報は遺伝子くらいです。でも、人間は言葉を残せる。物語を残せるんです。それらを読み込み、編集し、書き残していく。ぼくたちが学ぶことの意味は、世代を超えて生きることでもあるのです！

ざる者入るべからず」と記されていたという。ここでいう幾何学とは、言語を介さずイメージで思考することと考えられる。また、プラトンは天文学と音楽をともに「調和」を知るための学問と考え、これらを学ぶことで人間にも調和がもたらされ魂が救済されるとして、アカデメイアのカリキュラムにも積極的に音楽を取り入れた。じつは、本文中には登場しないが、用語集には何度も出てきている主要な隠れキャラ。プラトンの思想はこの本に通底するコードだといえる。この本を読んでいてプラトンにたどり着いた人は、とても研究的か真面目である。哲学者ホワイトヘッドは「西洋哲学の歴史とはプラトンへの膨大な注釈である」と言った。プラトンの思想のような純粋な価値観をプラトニックという。

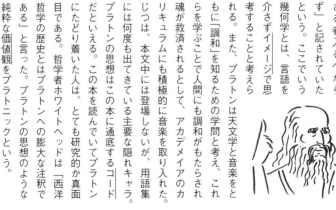

リベラルアーツ・キーワードリスト

※後ろの数字は解説ページです

opendending

ぼくたちの物語はどうなっていくのか？

一瞬に、永遠を詰め込む。

それが、ぼくがこの本に込めた思いです。変わりゆく世界のなかで、ずっと変わらなかったこと、いまでも価値のあること、それらを共有して活用し、いまを豊かに生きていくこと。それこそが、リベラルアーツであり、教養の意味なのだと信じています。

詩人の言葉には、「ここにも同じように感じる人がいるよ！（だから、大丈夫！）」という心の叫びを、自分と同じ感性の人に届けたい、という思いをひしひしと感じます。ぼくはそういう言葉や本に救われてきましたし、成長させてもらいました。だから、ぼくが救われて、成長した言葉や方法を、みなさんに伝えたいと思いました。この本は、そういう叙事詩です。

自由はふとした瞬間に立ち上がるものです。何にも従わず、何にもとらわれず、自分らしい純粋な選択や行動をしたときに、風のように吹いて、そして消えていきます。この世界には絶対的な自由などたぶんありません。自由は獲得できるものではなくて、その瞬間瞬間にぼくたち自身が起こしていく、存在と意味の風です。そういう風を吹かせる方法が、リベラルアーツなのだとぼくは思います。

この本に紡いだ言葉は変わりませんが、あなたもぼくも変わっていきます。またいつか読み返して、自分自身の成長を感じてもらえれば、そんな嬉しいことはありません。すでに存在する世界の、誰かが描いた物語の登場人物として生きるぼくたちは、同時にそれぞれが、振り返り、解釈する主人公であり、編集し、新たな物語を紡ぎだす作家でもあります。

あなたがいま、感じている風はどんな風ですか？　あなたが生きたい理想の物語には、どんな風が吹いていますか？

そんな問いを立て、この物語もいったん幕を閉じたいと思います。その風を心地いいと感じる人たちが、あなたの起こした風に反応してくれるはずです。いつか、あなたの物語と、ぼくの物語が、どこかでまた交差して、ぼくたちの物語になっていくことを楽しみにしています。

２０２３年春　矢萩邦彦

謝辞

本書の執筆と構成・編集にあたり、我が師である松岡正剛氏から多大なるインスピレーションをいただきました。また、リベラルアーツを伝える目的を明確にしてくださったノーム・チョムスキー博士、先人の言葉を自分の言葉で言い換えることの重要性を示唆してくださった清水博先生、「実践リベラルアーツ論」担当としてお声がけいただいた多摩大学大学院の徳岡晃一郎教授、対話のなかで気づきをいただいた神戸情報大学院大学の炭谷俊樹学長と人工知能研究者の松田雄馬博士、そして、編集担当の江口祐子さんのご尽力がなければ本書は成立しませんでした。知窓学舎の講師スタッフ、妻こゆきと息子月博の助力とともに、ここに記して、感謝いたします。

矢萩邦彦 やはぎ・くにひこ

「知窓学舎」塾長、実践教育ジャーナリスト、多摩大学大学院客員教授、教養の未来研究所所長、株式会社スタディオアフタモード代表取締役CEO。大手予備校で中学受験の講師として20年勤めたあと、2014年「すべての学習に教養と哲学を」をコンセプトに「探究×受験」を実践する統合型学習塾「知窓学舎」を創設。「探究型学習」の先駆者として20,000人を超える生徒を直接指導してきた。現在もプレーイングマネジャーとして現場に立つ。

中学受験を経て、私立の中高一貫校に進学するも、親や先生と価値観が合わずに不登校になり、その頃から読書に没頭する。10年間、年間1,000冊の本を読んだ体験から物事すべての基盤にリベラルアーツがあることを感じ、独自に研究するようになる。現在、多摩大学大学院で「実践リベラルアーツ論」を受け持つほか、中学・高校でもリベラルアーツの授業を担当している。

25年以上にわたり、教育やキャリア形成のほか、アート、音楽、ジャーナリズムなどの領域で「パラレルキャリア」として活動。一つの専門分野では得にくい視点と技術の越境統合を探究する「アルスコンビネーター」の称号を、編集工学の提唱者、松岡正剛氏から付与されている。著書に『子どもが「学びたくなる」育て方』(ダイヤモンド社)、『新装改訂版　中学受験を考えたときに読む本』(二見書房)などがある。

自分で考える力を鍛える
正解のない教室

2023年3月30日　第1刷発行

著者　矢萩邦彦
発行者　片桐圭子
発行所　朝日新聞出版
〒104-8011　東京都中央区築地5-3-2
電話　03-5541-8833（編集）
03-5540-7793（販売）
印刷所　大日本印刷株式会社

ISBN978-4-02-332238-7
定価はカバーに表示してあります。
落丁・乱丁の場合は弊社業務部（電話03-5540-7800）へご連絡ください。
送料弊社負担にてお取り替えいたします。

ブックデザイン　鈴木成一デザイン室
編集　江口祐子、福井洋平（朝日新聞出版）
イラストレーション　加納徳博
図版作成　石丸桃麻
校閲　鷗来堂